兩個故宮的離合

歷史翻弄下兩岸故宮的命運

野島剛

張惠君　譯

ふたつの故宮博物院

目次

故宮的歷史變遷

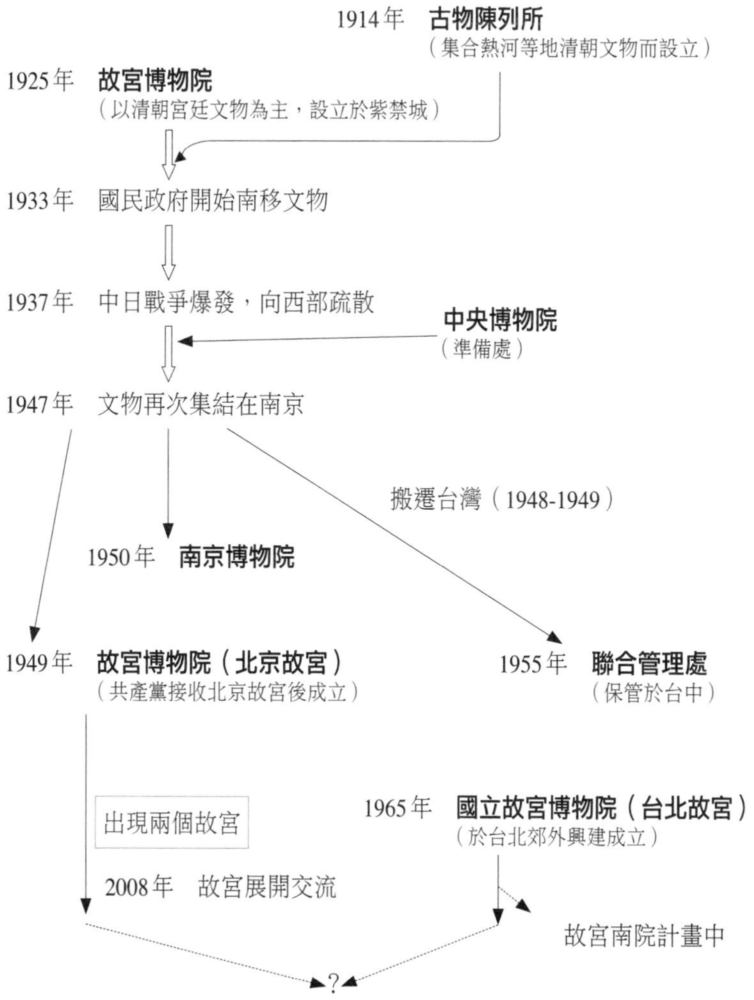
1914年　古物陳列所
（集合熱河等地清朝文物而設立）
1925年　故宮博物院
（以清朝宮廷文物為主，設立於紫禁城）
1933年　國民政府開始南移文物
1937年　中日戰爭爆發，向西部疏散
中央博物院
（準備處）
1947年　文物再次集結在南京
搬遷台灣（1948-1949）
1950年　南京博物院
1949年　故宮博物院（北京故宮）
（共產黨接收北京故宮後成立）
1955年　聯合管理處
（保管於台中）
出現兩個故宮
1965年　國立故宮博物院（台北故宮）
（於台北郊外興建成立）
2008年　故宮展開交流
故宮南院計畫中
?

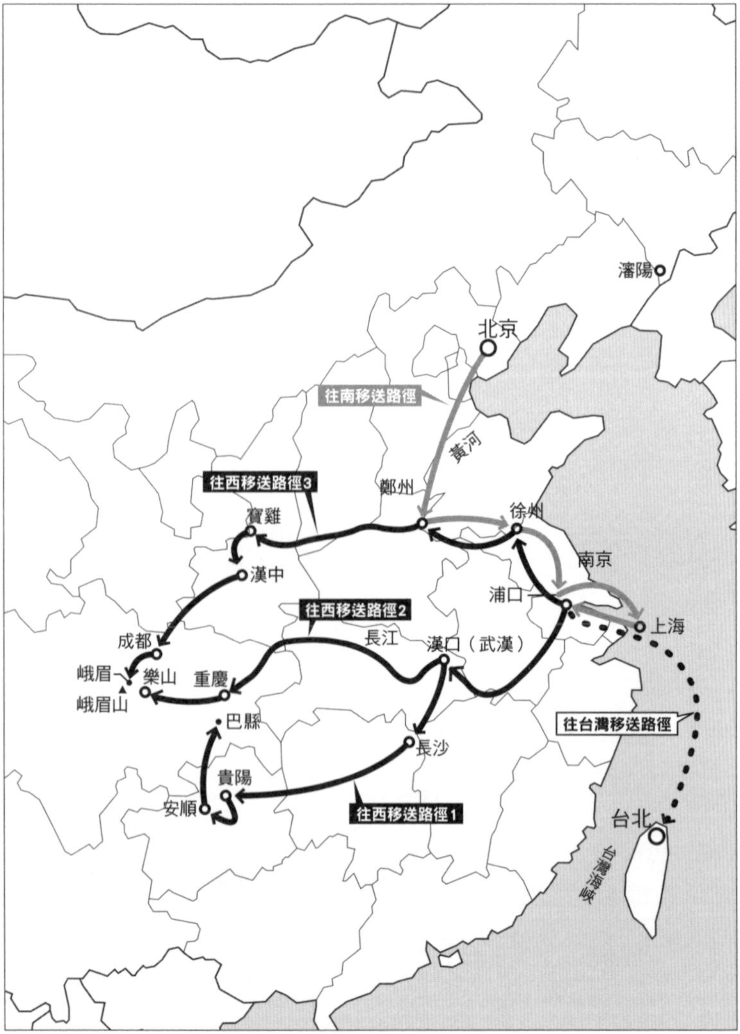
瀋陽
北京
往南移送路徑
黃河
鄭州
往西移送路徑3
寶雞
徐州
南京
漢中
浦口
上海
往西移送路徑2
長江
成都
漢口（武漢）
峨眉
樂山
重慶
峨眉山
巴縣
往台灣移送路徑
長沙
貴陽
安順
往西移送路徑1
台北
台灣海峽

序章

什麼是故宮？什麼是文物？

» 台北故宮（著者攝影）

故宮是一個不可思議的博物館。

兩個名稱一模一樣的博物館，同時存在中華人民共和國及台灣兩個地方，雙方如果向對方提出商標權訴訟，也非新奇之事。然而「兩個故宮」互不否定彼此的存在，也沒有誰高喊「我才是正宗」。雙方默默地使用相同的名號，展示著雷同的中華文明文物，同樣肩負著代表「國家」的觀光景點名號，不斷吸引世界各地的人們。

故宮是收藏與展示中華文明的藝術品、裝飾品及圖書文獻的博物館。

依據二〇一一年五月所蒐集的資料可以知道，北京「故宮博物院」（以下稱北京故宮）的收藏計有一百八十萬件，包括書畫、陶瓷器及圖書文獻等，其中八十五%是清朝留下的文物。

台北的「國立故宮博物院」（以下稱台北故宮）收藏品比北京故宮少，只有六十八萬件，其中清朝留下的文物超過九成。

兩岸故宮基本上收藏品的形態相當類似。原來一九二五年故宮成立之初就是一個博物館，這是理所當然之事。一九四九年故宮的文物運到台灣而造成「兩個故宮」的狀態，即使過了六十年，兩個故宮仍都固守原本的收藏原則，未曾改變。

一言以蔽之，這個收藏原則就是「集合中華文明的精華」。

那麼，北京故宮和台北故宮，究竟哪個比較好呢？

這個有趣的話題經常在中國文物專家及愛好者之間論戰不休。從收藏品的數量和多樣性來看，北京故宮勝出，但從質的角度來看，台北故宮略勝一籌。這是一般普遍的看法。

就博物館的建築而言，北京故宮的展示場所是明朝、清朝皇帝的居所紫禁城，建築物本身就被列入世界遺產。台北故宮就是一般的博物館建築，與北京不能相提並論。紫禁城也是北京故宮的展示品之一，從整體的優越性來看，北京故宮自然是當仁不讓。支持台北故宮的論者也會毒舌批評：「北京故宮不過是個空殼子」，但這麼說似乎也有些言過其實。近幾年的收藏逐漸蓬勃發展，加上考古的新發現，北京故宮的收藏品也充實提升了不少。

我撰寫本書的目的，並非要論述故宮的藝術價值，也不會深入探討收藏品的優越性等問題。我的專才不在於文化、藝術，而在於政治、外交。透過採訪的經驗，我看到某件瓷器可以想到大概是什麼年代或哪個窯廠出品的，不過到底還是門外漢。本書將以專業記者的角度與眼光，探討「兩個故宮」存在的原因及各自的發展。

中國和日本是東亞近代史的主角，「兩個故宮」可說是這部近代史的產物。日本引發的戰爭衍生出後續中國內戰的結果，因此產生了中國大陸的「中華人民共和國」及台灣的「中華民國」兩個思維不同的國家，這個分裂造就了「兩個故宮」。

本書最大的目的在於試圖追溯錯綜複雜的過程，探究現在仍千變萬化的故宮背後，究竟串聯了什麼樣的歷史情結，潛藏了多少政治領袖的思維判斷。我想透過故宮，描繪出政治權力與文化之深層共犯結構的樣貌。

有關故宮的歷史，在中國、台灣及日本等地已有諸多故宮元老及學者寫過專書或論文，記述了一九二五年成立到一九四九年分裂的過程，相關人士的口述歷史及史料，大致也已挖掘得差不多了。

另一方面，對於一九六五年台北故宮在台復館的過程、台灣民進黨政權對於故宮的改革嘗試、中國近年大量搜尋追回文物的熱潮，和二〇〇八年台灣國民黨重新執政後兩岸故宮的密切交流等等，不僅是日本，在中國和台灣幾乎仍未有系統的介紹，這些將是本書的重點所在。

然而故宮議題的魅力根源，來自於數次奇蹟似的歷史轉折，我也將在本書中藉由史料、相關人士的證詞、親身採訪等，用一定篇幅來介紹說明。

二十年前對於台北故宮的不協調印象

二〇〇七年至二〇一〇年，我在台灣擔任報社的特派員。我想從位於台灣的台北故宮開始說起。

首次造訪台北故宮是一九八〇年代末期的事情。

當時我還是個大學生，參加了台灣方面舉辦的國際青年交流活動，在兩週內走訪了台灣各地。當時蔣經國總統已經臥病在床，我在歡迎宴會上曾與副總統李登輝握了手，猶記得第一印象是「李登輝是個個子很高的人」。受邀參加活動的人，多半是來自與台灣有邦交的中南美洲、非洲、南太平洋等國家，我與這些鮮少有機會認識的各國年輕人結為朋友。活動行程中聽到了不少台灣的政治宣傳，那一趟旅程整體來說收穫不大。

在那趟不是很有收穫的旅程中，我也去了故宮，當時對故宮留下了深刻的印象。結果事隔二十年，採訪故宮成為驅動我好奇心的發源地，這是我始料未及的事。

台北故宮和市中心有點距離，位於山丘與平野交錯的「外雙溪」。博物館背後靠著山，展館是中國宮殿式的建築造型，穿過漫長的入口階梯，進入博物館建築內，第一個感覺是大廳燈光昏暗令人吃驚。展覽室的天花板偏低，有種莫名的壓迫感。導覽員穿著的制服就像政府機關的公務員，表情動作透露著意興闌珊。相較於傳說中世界極品的展示品，我對於導覽員毫無活力的態度反而覺得有趣。

還記得導覽員所說的一段話：「蔣介石前總統考慮到故宮文物的安全，因此在山裡面蓋了故宮。山挖空了做成倉庫，就算中共的砲彈打下來，也不會傷到文物。」

他大致是這麼說的。當下心裡有個疑問：擁有這麼棒的展示品，為什麼不能好好地陳列出來讓參觀者一飽眼福呢？現在的故宮在二〇〇七年重新整修後已煥然一新，入口處改為透明屋頂採光建築，整體變得明亮通透，展覽室的氣氛和職員的應對態度也大幅改善了。

第一次到故宮，所知當然有限，後來因為採訪而瞭解到一個重要的事實。我先在這裡陳述，那就是設立台北故宮的目的，並非像一般博物館想要提供給參觀者啟蒙、教育，而是為了保管文物而建。或者可以這麼說，與其說是博物館，台北故宮更像一座倉庫。台北故宮不像其他世界級的博物館，過去並不重視陳列的美觀及參觀者的需求。現在想起來，這正是我第一次到故宮時感到疑惑的原因吧。

重視收藏勝於展示的博物館，這也是故宮不可思議之處。

蔣介石決定把文物運到台灣

故宮的命運和蔣介石這號人物有著密不可分的關係。

敗給共產黨、將故宮文物運到台灣的蔣介石，繼續窮其畢生努力及夢想，希望從共產黨手中奪回失去的中國大陸。故宮的文物終究是要回到中國，在「反攻大陸」成功之前，台灣不過是個暫居之所。因此博物館的保管功能非常重要，展示陳列的程度只要差不多就可以了，蔣介石和他身邊的人大概是這麼想的。

用於反攻大陸的軍事費用占去了巨額的預算。台北故宮建於一九六〇年代，那時蔣介石日日夜夜謀畫奪回大陸的戰略，倘若國民黨反攻大陸成功，將共產黨逐出大陸，再度成為中國的主人，則故宮的好東西會全數回到中國大陸，當時就已決定屆時將把複製品留在台灣。

蔣介石敗給毛澤東，被逐出中國大陸。除了人民以外，他把中華民國政府的總統、行政機構、軍事組織、兩百萬人的黨政軍相關人士，及其家人、黃金，全部運到台灣。辛亥革命成功而誕生的中華民國位在台灣，蔣介石必須向世界如此宣傳。

然而失去中國大陸的人自稱是中國的主人，無論是從誰的角度來看，都顯得不太真實。此時需要一個讓世人接受理解的象徵，而集中國五千年歷史文明之大成的故宮文物，正好具有這種意義。

正因如此，蔣介石在與共產黨交戰挫敗、戰況最為危急之際，特別安排動員貴重的軍艦搬運文物橫渡台灣海峽。

在中國歷史上，皇室的文物被認為是皇帝的「私人財產」，貴重的藝術品永遠和皇帝共存亡。

名君唐太宗李世民曾留下這樣的傳聞：中國歷代公認最好的書法作品是王羲之的「蘭亭序」，李世民非常希望能夠取得，想盡了各種辦法終於找到，在自己死後也要一起陪葬，只留下「蘭亭序」的真蹟仿拓本。皇帝根本不會考慮到「人類的損失」這種問題，皇帝的收藏品，由皇帝來決定它的命運。

蔣介石以政治指導者的身分，決定將文物帶離中國大陸運到台灣，這是過去任何一個皇帝都沒做過的事，非常特殊。其後，蔣介石便運用了「文物繼承者等同於中國正統統治者」的邏輯。在中國歷經文化大革命，文物被破壞的時期，這個邏輯特別具有說服力。

在蔣介石之下擔任台北故宮院長的蔣復璁，曾經寫過一篇文章，充分闡釋了蔣介石繼承文物的政治性意義：「中華民族的文化有一個自堯、舜、禹、湯、文、武、周公、孔子數千年歷聖相傳的道統，共匪想在文化大革命時將這道統文化連根拔起，但終究失敗。愈想破壞中華文化，中華文化愈是發光發熱。因為有共匪的文化大革命，才有（蔣）總統的文化復興運動，總統從國父孫中山繼承道統，就是繼承孔子的道統。」

所謂道統，就是繼承儒學的正統。蔣復璁的這篇文章，與其說繼承儒學的教義，倒不如說他強調了長期繼承「正統政體」的體系。道統的精神，正是體現在反映天意、追求極致美學的書畫、銅器和瓷器上。

蔣介石深知故宮文物的政治利用價值，惟對於藝術價值的關注並未留下太多的文字記載。

另一方面，蔣介石的妻子宋美齡，也是著名「宋氏三姐妹」的老么，她鍾情故宮的事蹟廣為人知。

依據民進黨時代台北故宮院長杜正勝的說法，二〇〇〇年政黨輪替，他接任院長時才知道，院長辦公室的隔壁有個宋美齡的辦公室。當時宋美齡已移居美國，在故宮並沒有擔任任何職務，杜正勝隨即廢止了這個宋美齡辦公室。

宋美齡經常移駕到故宮鑑賞文物，也從倉庫搬出文物、寶物拿到辦公室欣賞。宋美齡特別喜歡翡翠之類的工藝品，也有人謠傳她從故宮將文物帶出，在丈夫蔣介石死後移居紐約時一併攜出。

但是我去故宮採訪時，幾位故宮幹部表示絕不可能發生這樣的事情。「不可能的，故宮所有的文物都有編號，把文物從倉庫拿出來都有紀錄，即便是故宮院長或是總統，不可能不經規定程序，就把文物帶出故宮。」

沒有證據，的確口說無憑。但在台灣一黨獨裁的威權體制時代下，宋美齡是威權可比皇帝的蔣家成員，又比蔣介石更具傳統中華思想，人們多半會覺得，如果是宋美齡做出這樣的事情，他們也不會太驚訝。

受到中國近代史翻弄的故宮命運

從字面的意思來看，故宮就是「old palace」，也就是「古時候的宮殿」。這個宮殿是中國最後的王朝——清朝的宮殿，現在是指設置中國人民共和國故宮博物院的紫禁城。

紫禁城，或是皇帝書房兼辦公室的「離宮」圓明園，都收藏了大量的文物，象徵清朝擁有中國歷史上最大版圖的財力和權力。這些文物是清朝的東西，也是皇帝的私人物品，只有皇帝有權自由把玩。順便一提，事實上，清朝歷代皇帝中最積極用心於收集文物的，當屬乾隆皇帝。他對書畫骨董造詣深厚，本身的書法水準也很高。

北京紫禁城有個乾隆皇帝建造的房間叫「三希堂」，現在開放給一般觀光客參觀房間的外觀。二〇〇九年二月台北故宮周功鑫院長首度訪問北京，我以隨行記者的身分一同進去參觀。三希堂的空間比想像的小，皇帝的權力至高無上，這個休息場所似乎有點單薄，但是每天在寬闊的大殿接見臣子，也許回到較小的私人書房，才是能讓乾隆皇帝回到文人身分的舒適空間。

「三希」是指三件稀世珍寶，乾隆皇帝將最喜愛的三件書法裝飾在這個房間裡。這三件分別是書聖王羲之的「快雪時晴帖」，其子王獻之的「中秋帖」，其侄王珣的「伯遠帖」。

乾隆皇帝是出了名的工作狂，除了用餐以外，所有時間都用於工作。唯一的休閒是在三希堂欣賞「三希」，這也是文物為皇帝所私有的至高享樂。

乾隆皇帝的子孫、也是清朝最後一位皇帝的溥儀，在王朝末期混亂缺錢的狀態下，陸陸續續將祖先留下來的文物拿出去變賣，這也是因為這些文物都屬於皇帝的私人物品才可以這樣做。有了溥儀這個管道，北京的「琉璃廠」等骨董市場開始流入「宮廷寶物」，吸引不少從日本來的鑑定行家。其中出現了山中定次郎這號人物，他是個骨董商，來到這裡大量蒐購，透過在英、美等國開設的「山中商會」分公司，賣到全世界，有著「世界的山中（Yamanaka）」的稱號。

一九一一到一九一二年的辛亥革命，推翻了清朝，但是文物仍在溥儀手中。與中華民國臨時大總統袁世凱妥協之下，溥儀被允許留在紫禁城內。之後溥儀仍然繼續變賣文物，收藏品損失不少。雖然如此，比起歷代收藏的文物數量規模還差得遠，因此在一九二四年溥儀被逐出故宮、隔年成立故宮博物院的時候，仍有相當數量的文物留在紫禁城。

中華民國政府並不像過去的朝廷一樣，將文物視為自己的東西，而是對外公開。中國歷史上頭一次將文物擺在大眾面前，開啟了故宮的博物館歷史。這是向大眾宣傳「革命成果」的最佳素材，文物從皇帝的財產，轉換成國民的財產。然而文物並未脫離「權力」的掌控。

一九三三年日本進攻中國，局勢變得緊張，以故宮收藏品為主的文物開始從北京南運，包含外交文書，北京到上海的列車共運出一萬九千五百五十七箱。之後為躲避戰亂，從南京逃到湖南、貴州、四川等地，隨著國民政府的撤退路線，文物一次次被往西運送。一九四五年戰爭結束後，文物在一九四七年回到設於南京的故宮分院。在這十四年間，這些文物歷經了一萬公里的旅程。

至此，文物休養生息之日尚未來臨。國民黨和共產黨爆發內戰，頻頻退敗的國民黨在一九四八年底至一九四九年初時，將故宮文物裝船，橫渡台灣海峽運抵台灣。

故宮文物盛大搬遷的故事，可說是逸脫了中華民族文物的常軌吧。如果是日本人，大概就是挖個密穴把文物藏起來，或丟掉文物先逃命。但是，當時是中華民國最高權力者希望將文物留在身邊。

故宮在一九三三年離開北京時，中華民國政府發表了以下聲明：「故宮文物是數千年來的文化結晶，不能減少也不可能增加。倘若國家滅亡，國家仍有希望再次復興。但是文化滅亡，將無再度恢復的可能。」

這裡只寫了一半的真話。重視文化是一部分的事實，但是因為隱含了超越藝術價值的政治判斷，才會耗費鉅資將文物南運。故宮文物搬遷至台灣也是同樣的道理。究竟這個政治判斷的內涵是什麼。本書將藉由檢視故宮文物的足跡，希望盡可能解讀其中的內涵。我相信透過故宮的故事，可以讓我們瞭解中國近代及現代歷史，乃至於理解中華民族的政治與文化關係的真正精髓。

與世界博物館的不同之處

前已說明了故宮是個不可思議的博物館，從展示品的角度也可以看出這點。

台北故宮自稱是「世界四大博物（美術）館之一」。除了台北故宮以外，還有法國的羅浮宮、英國的大英博物館和美國的大都會博物館。若再加上俄羅斯的艾爾米塔什（冬宮）博物館，另外也有「五大博物館」的說法。無論怎麼說，台北故宮具有亞洲第一博物館的地位，這評價在世界上是屹立不搖的。但是如果檢視收藏品的內容，我們必須指出，台北故宮與世界其他博物館有著根本性的差異。

羅浮宮、大英、大都會等博物館，收藏的文物不僅是西洋的東西，還含括中東、亞洲、非洲等地的文物，絕非浪得「博物」之名，他們多元的收藏值得誇耀。雖說收藏品亦背負了殖民地經營及侵略的負面歷史，但無損於博物館的價值。

另一方面，在台北和北京的故宮會看到一點點歐美的繪畫或雕刻，但是幾乎看不到中華文物以外的其他亞洲各國文物。也許可以看到一些日本、朝鮮、東南亞等使節贈送或進貢的禮物。這裡有的是僅以中華文化為對象的「單一文化」博物館。

中華二字含有「璀璨世界文明中心」的意味，從各種層面，卓越的中華王朝政治向世界擴散之際，藉由禮儀、道義等優良文化來感化蠻夷異族，他們便能成為中華文化的一員。這種華夷思想也是中華文化的基本概念之一。相對來說，也意味著「除了中華文化以外，其他的毫無價值可言」的排外思想，尤其在儒學上，對於華夷之別有著嚴謹的態度。

中華文化以外的東西是不能放進故宮的，這也蘊藏了中華純粹血統的思考。奇妙的是，台北故宮的所在地是台灣，卻很難在台北故宮看到台灣文化的任何片段。在參觀者的腦海中，可以閃過創造中華偉大的歷史文物、投注心血的藝術家及工藝家，但是跟台灣的歷史、文化、民眾生活等有關的層面，卻是造訪台北故宮所體會不到的。

清末清廷在甲午戰爭敗給日本，將「化外之地」（意即沒有文明教化的地方）台灣割讓給日本。對於中原是世界中心、體現中華思想的皇帝而言，台灣文化沒有被放進故宮收藏是理所當然之事，台灣和故宮在本質上就有不易聯結的命運。

我住在台北期間，注意到多數的台灣民眾並未將台北故宮列為「值得誇耀」的對象。當國外來的客人問到：「去哪裡玩比較好」時，在台灣幾乎都會回答：「去故宮」。但是當被問到：「覺得故宮怎麼樣」時，多數的人會顯露出困惑的表情。很少人會回答：「那是台灣的驕傲」，就算是覺得「很棒」，很多的台灣人也不是基於喜愛或是驕傲的理由。

純粹從收藏品的魅力來評價的話，毫無疑問台北故宮是世界頂級的博物館。沒有其他地方會集中保管只有皇帝才可以把玩的五千年中華文化精粹。

談到政治權力和文化的關係，日本人會想到「三種神器」。

瓊瓊杵尊是日本傳說中的開國之神，天照大神授予祂三種神器：鏡、玉、劍。為何這三種神器象徵著歷代天皇繼承皇位呢？那是因為在「神話」裡，確立了擁有這三種神器的人才是真命天皇。可以推斷的是，在古代日本的草創時期，這個神話裡開始出現將「唯我天皇擁有三種神器」當作政治權力的證明。

例如日本南北朝時代是三種神器價值被提升到最高的時期，南朝和北朝兩方勢力互相爭奪三種神器，政治權力愈是不安定，人們愈想追求文化帶來的「公信力」。

對於中華民族而言，故宮文物就是「三種神器」。近代中國在動盪中，展開歷史上最浩大的文物運送作戰，最後還橫渡海峽。可見蔣介石不可能將故宮文物交給毛澤東。

先隔一段距離來思考這樣的現象，在中華文明裡，文化被定位成有特殊的意義，政治守護了文化。我想正因為有了政治的庇護，即使在戰亂中，也能發生守護文物的「奇蹟」。

變革的季節開始

我最初想要著手寫書回顧記錄故宮的過去與現在，是在二〇〇七年到台北工作之前。

二〇〇八年底正好是文物遷徙到台北故宮「一甲子」（這是中華民族稱呼六十年的說法），我因此想要寫點有關故宮的歷史。在台北擔任特派員期間，正逢故宮改革最劇烈之時，這是意想不到的「幸運」。

二〇〇八年五月再度發生政黨輪替，從民進黨變回國民黨執政，兩岸關係大幅改善，過去各行其是的兩個故宮開始靠近。

二〇〇九年二月，台北故宮院長周功鑫首次訪問北京故宮，我是唯一與周院長同行的日本記者。嚴冬中的北京，周院長和北京故宮前院長鄭欣淼並肩走在北京故宮的紫禁城，寒風刺骨。

在那次見面之後，兩個故宮交流相當順暢。原本就是一個故宮，只因為政治權力而分裂成兩個，所以本就具有「互補性」。

例如，在收藏品方面，台北故宮的強項在於相當完整蒐集宋代書畫及陶瓷器上。由於宋朝是中華文明繁盛的頂點，在有限的時間及空間等嚴苛條件下，要把文物搬運到台灣，故宮的專業人員於是以宋代的收藏品為主要對象。

另一方面，共產黨革命後成功蒐集的文物也有加分作用，明清的文物在北京故宮則在質量上取勝。瓷器文化雖在宋代時達到巔峰，但是明代的彩瓷、清代的琺瑯彩也是相當出名。考古出土的文物，大半是來自中國大陸在戰後所做的調查挖掘成果，因此被集中收藏在北京故宮，這方面台北故宮當然付之闕如。

兩個故宮，與其說是外型相似的雙胞胎，還不如說是一張分裂的地圖。因此隨著兩岸關係的改善，兩個故宮的交流也象徵了文化領域關係的改善，兩邊的距離正在急速地拉近中。

日本展的啟動

對於政治而言，文化有時是極為有用的工具。尤其像兩岸關係，這樣政治上敏感的主權問題是很難互相讓步的，先從文化面強調親近關係，好處不少。

元朝有位書法家黃公望（一二六九－一三五四），他是江南地方的漢人，行政能力很強，在地方政府當官，但是當時是蒙古人統治天下，漢人不免懷才不遇。於是他四十歲就辭官，專心書畫。在七十九歲時花了三年的時間畫出「富春山居圖」，後來成為元代的代表性名畫。到了明朝末年，「富春山居圖」流落到吳姓員外的手中，他交代家人自己死後要像皇帝一樣「把畫一起燒了」，家人遵照他的遺囑要燒畫時，其中一個家人無來由的覺得「燒了很可惜」，因此在燒了一部分之後，又搶救了一部分回來。

「富春山居圖」畫卷全長七公尺，燒了部分後分成兩半，分別流傳於世，一半在台北故宮，一半在中國杭州的浙江省博物館收藏著。

二〇一〇年三月中旬，中國總理溫家寶在人民代表大會的記者會上，特別提到了這張畫：「我希望兩幅畫能合成一幅畫。」中國丟出了球，台灣方面則回應：「正在規畫黃公望的特別畫展，希望向中國借出收藏在浙江省博物館的另一半畫作。」雙方你來我往的對話，像是套好招的表演，著實感受到文化在政治上的「效用」。溫家寶的發言產生了效果，二〇一一年六月浙江省博物館收藏的「富春山居圖」運抵台灣，在台北故宮舉辦了特展。

» 浙江省博物館（著者攝影）

另一方面，故宮文物的「失散」與「回流」議題，重新浮上檯面。

如前所述，清朝末期到中華民國初期設立故宮博物院的數十年間，皇帝的收藏分散至中國及海外各地。歐美列強的掠奪、溥儀的變賣、朝廷官員的夾帶，以及其他各種理由，本來應該「足不出戶」的珍寶被帶出宮外的，不計其數。對中國來說，被歐美日蹂躪的近代史記憶，加上失去國寶的痛苦經驗，留下了心裡的創傷。

然而，近幾年中國經濟發展，中國人買家陸續在世界各地的拍賣會上，買回中國的陶瓷器及繪畫等，形成「回流現象」。在中國政府的斡旋下，所設立的民間團體，調查了收藏於海外的中華文化財產，開始向各國政府及博物館展開談判交涉歸還。從法律層面來看，買賣的商品為善意第三人所持有，這海外的所有者並無歸還義務。但如果是被認定為因為戰爭或掠奪行為而被帶走的文化財產，現在的所有權國必須歸還給原來的所有權國。許多國家已簽署、批准的聯合國教育、科學及文化組織（簡稱為教科文組織，UNESCO）的條約，已有相關規定。

中國的歸還運動，以擁有豐富中國藝術館藏的大英博物館、羅浮宮美術館、日本的美術館及博物館等為對象。在這個問題上，中國政府站在「被害者」的立場，態度相當強硬，對於中國以外的各國藝術界，已成為一大「威脅」。

失散在海外的文化財產「回流」的社會現象日趨明顯。中國將找回文物的一部分納為故宮的收藏，為強化故宮收藏帶來契機。

對日本而言，故宮也進入了新時代，台北故宮文物首度到日本展覽的可能性，開始浮上檯面。

台北駐日經濟文化代表處前代表，也就是台灣的前駐日大使馮寄台，他親口告訴我：「我任期內的最大目標，就是要實現故宮到日本展覽。」日本方面的對台窗口財團法人「交流協會」前理事長畠中篤，曾在二〇一〇年三月時表示，期待故宮的日本展能早日實現。

過去日本不曾舉辦台北故宮展覽，主要原因是來自台灣方面的擔心，怕與台灣對立的中華人民共和國政府主張對於展示品擁有所有權，展示品會被假處分「扣押」下來。

過去曾有「光華寮」的訴訟案件，牽扯到中國和台灣的所有權問題，十分難纏，最後在日本以法律手段解決。兩岸關係改善以來，從現況來判斷，中國大概不會對台北故宮的文物採取法律行動。但是由於過去的歷史背景因素，台灣方面採取謹慎的態度，為求萬無一失，要求在日本舉辦故宮展前，日本方面先通過「藝術品免遭強制執行、假扣押或假處分」的法案。

到日本展覽的計畫與已故畫家平山郁夫等中日及台日間的「大人物」有關，並以民主黨及自民黨國會議員中的有志之士為核心，準備推動法案。在自民黨下台後，接著民主黨內部紛亂不堪，向國會提出法案的時程大幅延宕。最後終於在二〇一一年三月獲得參眾兩院的通過。在日本舉辦首次的台北故宮展，開始出現了一點可能實現的眉目。

同時，北京故宮的日本展也著手籌備，正在計畫二〇一二年時在東京國立博物館舉行的展覽。也有人建議希望兩岸合展，但是台灣要求單獨舉辦的立場並未鬆動。

故宮大廳被大陸客淹沒

我在台灣擔任特派員期間，造訪故宮至少二十次以上。在二〇一〇年四月離開台灣前，特別去故宮「道別」。雖然以後從日本飛三個半小時就可以抵達台灣，但是在總結在台三年生活之際，還是很想看看故宮。

當時目擊的畫面，象徵了故宮的現狀。

淹沒大廳的大批中國觀光客，圍著坐鎮大廳的「國父」孫中山銅像，熱情地按下相機快門。日本人和外國人大概沒什麼興趣和孫中山銅像照相，但是在含括中國、台灣的中華世界裡，孫中山無疑是最受尊敬人物的第一人選。

中國觀光客造訪故宮，起因於二〇〇八年五月誕生台灣的馬英九政權，與中國開始改善關係，取消了原本不准中國觀光客訪台的嚴格限制。馬政府以每日三千人為上限，同意中國人造訪長期以來就十分嚮往、稱為「寶島」的台灣。中國人到台灣最想去的地方，其中之一就是台北故宮。湧入故宮的中國人人數已超越了日本人，搶購故宮博物院紀念品，讓台北故宮的收支狀況也因此受惠。這是兩岸關係改善的效果之一。

» 台北故宮裡的大批中國觀光客（著者攝影）

台北故宮的建築物，據傳是仿造位於中國南京孫中山陵寢「中山陵」所建，建築物的正式名稱也用孫中山的名諱取為「中山博物院」。正面入口的大門上也寫著孫中山的墨寶

「天下為公」，落成典禮選在孫中山一九六五年十一月十二日的百歲冥誕時舉行。

台北故宮的孫中山銅像是委託法國著名雕刻家保羅．蘭多斯基（**Paul Landowski**）製作的，巴西里約熱內盧巨大耶穌雕像也是他的作品。民進黨政權在二〇〇四年時進行了台北故宮的整修工程，把孫中山的銅像從正面門廳移走，就放在戶外風吹雨打。國民黨政權在取得政權之後，立刻修復銅像，二〇一〇年起改放在展示館的正面，成功「復活」。

復活的孫中山銅像與聚集在此的中國觀光客，說明了政治對於文化的巨大影響。

廣義來看，政治的庇護對於文化的生存是不可或缺的。因為政治，文化得以振興；因為政治，文化也可能遭到破壞而無法挽回。

在中國，文化大革命破壞了許多藝術和文化。透過否定文化來否定政敵的行為，在世界歷史上也非新鮮事。創造文化雖然是個人的藝術行為，但對於文化價值的評價卻也經常在政治浪潮中擺盪著。

台灣在這十年當中，國民黨和民進黨兩大政黨在文化的對決上，展開激烈競爭。二〇〇〇年民進黨執政後，提出了「故宮改造」的計畫。這是因為國民黨背負著故宮所象徵的中華文化，民進黨藉著改造故宮，試圖否定國民黨的存在，我將在第一章介紹這個改造的過程。

接著第二章談到辛亥革命前後故宮文物的流出，第三章分別說明日本進攻中國時，故宮向南方和西方運送計畫的過程。第四章則談到故宮文物移送台灣的一九四九年前後，檢視政策決定的過程。第五章說明兩岸分裂後興建台北故宮，因此誕生兩個故宮的背景。第六章將針對散落世界各地的故宮文物「回流」中國的現象，試作解析。

「兩個故宮」是世上少有的情形，在最後一章將預測「兩個故宮」的未來。

第一章

民進黨未完成的夢想

——故宮改革

» 在故宮前做瑜伽（著者攝影）

台灣大概算是世界上罕見的兩黨政治發揮功能的「國家」，台灣二〇〇八年的政權輪替，帶來非常巨大的變化。

二〇〇八年三月的總統大選，國民黨的馬英九獲得壓倒性的勝利，與民進黨候選人謝長廷的差距有兩百萬票之多。馬英九五十八％的得票率，超越一九九六年台灣首次總統直選時，李登輝創下的五十四％。台灣民眾對於做了兩任八年的民進黨陳水扁政權感到失望，將台灣的未來託付於國民黨。

我當記者已有二十年的經歷，然而政黨輪替後的變化仍讓當時的我十分震驚。

到昨天還是敵人、被當作威脅對象的中國，突然之間變成血濃於水的兄弟，大肆宣揚親密關係，將改善與中國的關係當成最優先的事項處理。

下台政權的官員被關進牢房，這樣的例子在許多國家都曾發生。但是下台不到半年的陳水扁前總統，因為海外不法匯款、洗錢、收賄等嫌疑被逮捕。在民進黨執政時期因為採訪而熟識的多位重要官員，一一連坐，接受偵查，被限制出境。陳水扁身邊的人被社會視為盜賊，被冷眼對待，本來我用手機可以聯繫到的民進黨官員，突然之間都不接電話了。

發生如此激烈的政黨輪替的原因，在於國民黨和民進黨是不同的兩個政黨，所有構成政黨的要素，無論是成立背景、理念、支持者、體質等，都完全互異。

國民黨是個為了打倒清朝、在中國誕生的古老政黨，具有強烈的中華認同。以中華主義和孫中山提倡的三民主義為理念。主要的支持者為軍人、公務員、企業家、從中國渡海來台的外省人等。體質上較為保守，現實上精於計算，具有很高的前瞻能力。

另一方面，民進黨是個年輕的政黨，一九八〇年代在台灣對抗國民黨的壓制下產生。理念是台灣獨立或加強台灣主體性。在台灣長大的南部本省人為其支持者，體質較為開放，具有活力和理想家的性格，但是政治技巧青澀拙劣。

歐美的兩黨制度，基本上無論哪一黨都擁有引導國家出發的共同目標方向，但是台灣的兩黨制則大不相同。在日本，不管是自民黨或民主黨取得政權，日本作為國家骨架的道理是不變的。但是在台灣，雖然沒有流血，但卻呈現一種宛如革命的樣貌。這就是台灣的政黨輪替。

在美國政權轉換時，發生政府人才悄悄換人的情形，稱之為「旋轉門」現象。台灣並不容易發生旋轉門現象，倒是令人覺得整個門都換掉了。

台灣在二〇〇〇年和二〇〇八年兩度政黨輪替。二〇〇〇年時從國民黨變成民進黨執政，二〇〇八年時從民進黨變成國民黨執政。故宮也在當時遭到「政治」的大浪吞噬。

本章將詳述二〇〇〇年民進黨執政後展開的故宮改革。有關二〇〇八年以後台北故宮發生的變化，我想在最後一章展望故宮的未來時，再一併討論。

希望改變定位

故宮的傳統定位是「集合中華文化最高藝術品的博物館」。故宮體現的是中華文化，和中華民族培育中華文化的真知智慧。愈是講究純粹的中華主義，愈是形成狹隘的自我定義。

取得政權的民進黨想要推翻這個自我定義。民進黨是如此主張：「故宮不是中華文化的博物館，應該轉變為亞洲文化的博物館。」

民進黨並未否定台北故宮的收藏是以中華文化為主體的現況，但針對台北故宮的收藏長期以來漠視亞洲要素，希望加強與亞洲的聯結，為了淡化中華色彩，因而推動重點蒐集亞洲文物。

完成台灣首度政黨輪替的民進黨，為何要改革世界知名的故宮呢？我們試從中華和亞洲這兩個概念思考。

中華料理、中華民族、中華街等等，「中華」這個詞彙被廣泛使用以來，不過是這一百年的事情。相對於中國悠久的歷史，這只不過是小孩的年齡，「中華」只是個稚嫩的詞彙。

對世界以及中國大陸的人民最早提出「中華」一詞的，是中國革命之父孫中山。孫中山為對抗西歐列強侵略中國，運用「中華」的概念，將實際是多民族的中國人，整合成一個新國家的基礎。所謂中華民族的人或民族，其實原本並不存在，這是為了定義革命所誕生的新共同體，而編織出來的政治概念。

有一個辭彙叫「華夏」，故宮的說明裡出現「集合中華文明的精粹」的說法，我在本書也這樣採用，故宮自己對外宣稱時，也經常用「中華」。但是在故宮相關人士之間的對話、會議發言、學術論文中，如果不用「華夏文化」，這個人多半會被認定為不夠專業。

對於日本人來說，「華夏」不是個慣用的詞彙。在古代中國，華和夏是指居住在「中原」一帶（現在的河南省洛陽）的居民。文獻上亦稱「諸夏」、「諸華」。中國漢族當時被周邊的異族（稱為「夷」）包圍，感受到威脅。為了有別於「夷」，把自己定位為「夏」或「華」，這就是所謂「華夷思想」的開始。

基於這樣的思考方式，在中國擁有最為純粹、高等文化與傳統的人們，就稱為「華夏」。嚴格來說，故宮的文物並非屬於包容異族的「中華」文化，而是在位居世界中心的中國，又是當中被認定為最為核心的「華夏」文化，這是故宮傳統的思考方式。

另一方面，中華的概念比華夏來得廣。臣服於漢族的文化，或直指接受其影響的人或國家之所在區域，具體而言，就是以中國黃河或長江下游為中心，以同心圓畫出的範圍，含括蒙古、新疆、西藏等邊陲地區。朝鮮半島和越南等朝貢國，就位於中華或非中華間的灰色模糊地帶。

跟此點相關，也有一說提到西元前五世紀當時，希臘為了表現「東方區域」的概念，而創造出亞洲這個詞。在今天，亞洲則指俄羅斯的烏拉山脈以東，中東的土耳其以東，南到印尼，東從日本向北劃至俄羅斯的東邊。亞洲包括四十七個國家和四十一億人口的世界最大區域，中國當然也涵蓋其中。

然而在傳統的中國社會裡，並不認為自己是亞洲的一部分。故宮背後的中華文明概念裡，世界不是平的，而是像一座山的形狀，頂端是華夏文化，拿富士山比喻就是長年積雪的山頂。其他的中華文化就在山的底部，亞洲應該相當於山麓下吧。中華並非亞洲的一部分，採二分法分為中華和中華以外的世界，而亞洲就是屬於「另一邊」。即使到現在，日本人會自我定位在「我是日本人，也是亞洲人」，這樣的想法相當普遍，但是中國人持「我不是亞洲人」想法者，不在少數。

民進黨思考藉著顛覆這種「故宮＝中華」的概念，可以向海內外宣傳，象徵著民進黨新政權的變化已經展開。

原因是民進黨的對手國民黨，就是中國革命之父孫中山以中華的基礎概念所建立的政黨。對於國民黨而言，中華是不可分割肉體的一部分。將中華的色彩從故宮抹去，就是讓民進黨形成脱離國民黨的新政治。

一九四九年遷移到台灣的國民黨，施行了戰後世界最長的四十年戒嚴，以鎮壓民眾的「白色恐怖」，建立了一黨專政。之前還有一九四七年二月二十八日發生的民眾暴動「二二八事件」，據傳有兩萬人遭到殺害，來自中國的外來政權，壓抑了台灣本土的民眾，這種情勢仍然持續。

另一方面，在極度安定的政治環境中，產業積極投資，在一九八〇年代，台灣被稱為亞洲「四小龍」之一，經濟達成高度成長。同一時期，民眾追求政治自由化的需求急速上升，民進黨勢力日漸擴大，終於在二〇〇〇年時從國民黨手中奪下政權。

民進黨是根深柢固地追求台灣獨立的，黨綱明訂「台灣主權不及於中國大陸」，中國和台灣是個別的存在，這是黨的基本理念。這是一個希望即使多接近台灣＝非中華狀態一步都好的集團。因此民進黨從在野黨時代起，氣氛上就一直對於故宮「有意見（有抱怨）」。

民進黨取得政權的十年前，大約是一九九〇年時，也曾在立法院提出質疑，從中也可發現有這樣的體質。

「台灣文物不在故宮的收藏範圍內嗎？」

民進黨立法委員陳光復提出質詢，為何台灣文物不能被納入台北故宮的收藏。

當時國民黨政權底下的台北故宮博物院院長秦孝儀淡淡的回答：「台灣本土文物是中央研究院的職責範圍，不是故宮的。」

這可以斷言對於以中華文物為中心的故宮來說，位於邊陲地帶的台灣文物沒有收藏價值。

對於台灣本土意識濃厚、希望將政治體制改變為「台灣不是中國一部分」

的民進黨而言，這是無法容忍的主張，無法相容的鴻溝就這樣橫跨在民進黨與故宮之間。

與表現改革精神的電影相遇

二〇〇八年冬天，我正在進行採訪故宮的工作時，剛好看了《經過》（二〇〇四年製作）這部電影。

我喜歡華文圈的電影，特別是住在台灣期間，幾乎看了台灣這十年的主要電影，卻不知道這部電影。《經過》雖然參加過海外影展，但是在台灣的票房並不理想。

台北的繁華大街「中山北路」上有個「台北光點」，設有電影院和咖啡廳，我在那裡見了歌手一青窈。她的父親是台灣人，母親是日本人，是個混血兒。她是戰前台灣四大家族之一顏家的子孫。姐姐一青妙是演員，這家人十分重視家族根源。我採訪這對姐妹在台灣和日本的生活情形，準備在報紙連載報導。

採訪空檔，我走進咖啡廳隔壁的唱片行，偶然發現《經過》這部DVD，電影的女主角如果不是新銳女演員桂綸鎂的話，我大概就不會注意到。這部電影正好就是說明民進黨進行「故宮改造」的絕佳教材。

由女主角桂綸鎂飾演台北故宮的女性研究員展開《經過》的故事。女主角小時候，曾經聽過長輩說起他們和故宮文物一起從中國到台灣，與故宮文物一路長途跋涉，對故宮存有嚮往，因而走上研究員這條路。她滿心期待能夠進到故宮後山裡的文物倉庫。

然而，保管貴重文物的倉庫，出入被嚴格限制，年輕的研究員是沒有機會進去的。另一方面，她與一位接受故宮委託、撰寫故宮歷史的文字工作者互有好感，關係卻無法更進一步。這位文字工作者也正遇到寫作瓶頸，寫稿並不順利。

此時故事情節又出現一位日本男性，因為在日本經商失敗到台灣旅行散心，偶然間來到故宮。電影描寫了三人懷抱著各自的煩惱或問題時的焦急煩躁。最後，藉由瞭解了蘇軾（一〇三六—一一〇一）詩卷名作「寒食帖」上寫的古詩意義之後，找到了解決出路。

《經過》是由台北故宮出資製作的電影，連內部人員都很難進去的文物倉庫，也讓攝影機進去拍攝了，聽說是故宮全力協助的結果。也許是包含了民進黨希望宣傳故宮政策的要素吧？故事發展有些唐突，電影完成度也不算高，但是透過那位文字工作者的文章，向觀眾傳達了故宮的新定義。這對我而言，也有重大意義。

電影一開始，電腦畫面上顯示著文字工作者的自問自答：「故宮為什麼會來到這南方之島呢？」煩惱寫作瓶頸，到最後終於得到結論的文字工作者，再度在電腦畫面上，打出以下的字句：「在這裡，有一座建在山裡的博物館，原來在這個島上應該只是暫時『經過』而已，但是命運卻讓博物館留在這塊土地上。」

這句話被放大在銀幕上，接著電影便結束了。

故宮只是暫時被放在台灣。當反攻大陸成功的那一天，就應該回去中國。然而，反攻大陸夢碎，故宮被留在台灣這個南方島嶼上。這是故宮的命運，無法改變。故宮應該接受這個命運，重生成為在台灣生根的博物館。

從文字工作者的文章中，可以解讀出這樣的訊息。

陳水扁起用的院長

為了達成改革故宮的目標，陳水扁總統取得政權後任用的故宮院長，就是出身台灣南部高雄的歷史學者杜正勝。他專門研究中國古代社會史，擔任過台灣最高研究機關中央研究院歷史語言研究所所長，也曾為李登輝總統撰寫演講稿，具有強烈的台灣主體意識。

杜正勝擔任院長一職直到二〇〇四年，在陳水扁政權的第二任時，他轉任教育部長，民進黨失去政權之後，在台灣大學任教。二〇〇八年秋天，我向他提出採訪申請，剛開始他沒什麼意願，給我的回覆是「請你自己看書」。杜正勝把他擔任院長的體驗，寫成《藝術殿堂內外》一書，在台灣出版。

雖然他說：「自己在故宮所做的事情都寫在書裡」，但身為記者，還是想見到本人。我鍥而不捨的反覆聯繫了幾個月後，最後他終於同意在大學的研究室見我。

杜正勝開口就說：「每一位故宮院長都會有他的想法，基本上也應該尊重他們的想法和作法。政黨輪替後，國民黨再度興起，作為一個觀眾，不願意以我過去的想法來批評國民黨。對於接我工作的人，不能說他不好。」

我聽到這番話，當下的感覺是，「不能說不好」的原因是「想說他不好」。「杜先生，我來與您見面，目的不是為了要您批評馬政府的故宮政策。而是想正確理解民進黨的故宮改革工作，希望留下紀錄。」

杜正勝繼續說著：「新任國民黨院長的新措施，我也多少聽到一些。但是每個政黨、每個院長都有他自己的作法。這是我的基本態度。因此我不太願意接受訪問。好像是以一個過來人的身分來批評，我不願意讓人家產生這種感覺。」

我回答說：「這是當然的，所以今天的採訪不是要批評現在的政權，而是希望聽您說說過去擔任院長期間的故事。」

» 杜正勝（由聯合報知識庫提供）

在這樣的周旋之後，開始訪談。其實在台灣當記者，覺得很感恩的是台灣人坦率的性格，杜正勝雖然起初顯得不太高興，但是開始提問之後，就變得滔滔不絕。杜正勝在擔任教育部長時期，好幾次都因為「發言不當」惹起風波。

杜正勝在訪談中細數過去國民黨如何把故宮當作政治的利用工具：「國民黨統治時期，他們的目標是要回到中國大陸，包括故宮在內，用臨時的態度面對所有的一切。但是，過了一陣子知道不可能反攻大陸，他們便對台灣民眾灌輸『中華文化很偉大，你必須崇拜它』的概念，以強硬的態度要台灣人感謝故宮的文物。對於外國人則是主張，偉大的中華文化中，最璀璨的文物在中華民國，不在北京。因而主張中華民國是中國的正統政體，中國共產黨不是正統。」

杜正勝處理故宮改革的第一步就是「去政治」。

「台北故宮的政治性比世界上任何的博物館都強」，杜正勝開頭就說：「故宮和國家的命運同步，從一九二五年成立以來，故宮文物片刻都不得休息。從北京，到上海、南京、重慶，再到南京，之後是台中、台北。將文物賦予民族主義象徵的性格，同時象徵了國家的命運和正統性。這是一種宿命。想將故宮完全去除政治性幾乎是不可能，但是我還是盡可能希望減少故宮的政治性，藝術和政治還是應該有一線之隔。」

杜正勝就任後，逐一採取行動。

首先，一一除去與國民黨政治體制相關的東西，包括各樓層展示的孫中山或蔣介石銅像、蔣介石或宋美齡的親筆油畫等。原來掛在台北故宮正面大廳的蔣介石畫像，也在二〇〇一年二月被取下。

這張畫像還註記著「在日本軍閥侵略戰爭中，保護故宮文物免於戰火」、「運送台灣，免遭共產黨文化大革命的破壞」，畫像象徵了蔣介石與故宮之間的關係。杜正勝說明：「世界大型的博物館中，很少有政治家的畫像。我想把故宮變回一般的博物館。」杜正勝有魄力的行動，在民進黨內得到掌聲。

接下來是改變台北故宮制度上的定位。

故宮是隸屬於行政院的獨立機關，院長也是閣員之一。故宮院長身為閣員，負有政治責任，行政院長總辭時，原則上必須一起辭職。

但杜正勝倡議：「博物館是學術機構，隸屬於行政院並不正確。」應該像台灣的最高研究機關中央研究院一樣，改為直屬於總統府的獨立機關，院長也可以去除政治責任的負荷，但是這個構想結果沒能實現。

對於杜正勝而言，故宮是一個需要諸多改革的博物館，提出了「台灣化」、「多元化」、「亞洲化」、「國際化」等數個目標。

「台灣化」的意思是，故宮文物在一九二五年從清朝移給中華民國，迄今已經過了四分之三個世紀，來到台灣也已六十年以上，台灣也可說是故宮的故鄉，應該加強蒐集代表台灣歷史文化的收藏品。

文化通常與周圍的文化有關，互相影響，而不會單一存在。因為中華文化也是亞洲文化的一部分，不斷與周邊的絲路、朝鮮半島、日本、東南亞文化相互交流而形成。如此一來，故宮必須自我意識到中華是位在亞洲、故宮是位在亞洲。這就是「亞洲化」與「多元化」。

關於嘗試故宮多元化的理由，杜正勝是這麼說的：「多元化的觀念，主要是希望把故宮放在現在的世界體系來看。相較於英國、法國、美國幾個過去有世界性帝國傳統的博物館，故宮的收藏品是比較單一文化性質的。中國當然也是個帝國，但一向對於瞭解其他文化的動力比較弱，甚至連基本的好奇心也沒有。即使到清朝的康熙及乾隆皇帝，已經是名副其實的大帝國，故宮的收藏品也在這個時期完成，照理說，收藏品應該具有多元性，但是我們看到故宮的收藏品基本上仍以中華文化為主體。台北故宮的收藏品在歷經中日戰爭、國共內戰的搬遷時，經過挑選者主觀意識的影響，中華文化要素更加濃厚，因此故宮文物的單一性更強。加上以前主持故宮的人，將故宮認定為中華文物的代表，以中華文物作為最文明、最優秀的象徵。也許是想要從中振奮民族意識，但有時對於文化的定義，會產生解釋上的錯誤。」

所謂「國際化」是指在博物館不應特定區分國籍或民族，對於國際的各種文化都保持接納的基本態度。為了實踐這樣的理念，杜正勝在院長任期中曾舉辦日本傳統工藝「蒔繪」特展、「蒙元特展」等，這是過去故宮不曾嘗試的展覽主題。

此外，杜正勝也從「外」為故宮注入新血。彭楷棟是一位住在日本的台灣人（日本名為新田棟一），他在日本經商成功，擁有世界級的金銅佛像收藏。彭楷棟的收藏多元而廣泛，從阿富汗、巴基斯坦，到東南亞、中國、西藏、日本、朝鮮半島、蒙古等各地都有。杜正勝說：「故宮有很多宋代、明代的書畫，但是佛像很少。彭楷棟的收藏正是故宮所缺少的。」杜正勝在任期間，彭楷棟將收藏捐贈給台北故宮。

總結杜正勝的理念來說，不是「故宮＝中華」，而是主張故宮應該以其所在地的台灣為中心，與亞洲及世界聯結交織，收藏好的藝術品。

如果純粹把這段話當作某種主義或主張，會感受到這是認真的論述。但是對於故宮而言，這是很偏激的想法，也察覺得到這角度是和純粹中華觀點對比產生的。

如前所述，中華思想是以中國的中原（華夏）為中心，從這裡開始畫同心圓。離中原愈遠，漸漸愈變得不中華。但究竟是不是中華，端看其是否接受中華文化的影響來判斷。即使不是漢族，只要正確理解中華文化就是中華的一分子。其他的就是夷，夷帶有野蠻的意思，華夷思想這個詞彙就是區隔中華和非中華的想法及說法。

正由於故宮背負著絕對性的中華及中原思想，因此蔣介石政權要在距離中原很遠的台灣生存，便只能藉由強調故宮文物的所有權，才得以主張中國的正統政權。

被華夷思想拋棄的島

過去被這個中華主義及華夷思想拋棄的土地，就是台灣。

清廷在甲午戰爭中戰敗，除了賠償鉅額款項外，還割讓台灣給日本。進行條約談判時，清廷視台灣為「化外之地」，把它交給日本也不會心痛。所謂「化外之地」是指沒有文化的土地，也就是不能稱得上是中華世界的一部分。

事實上，當時清朝在台灣設有行政機關，台灣是清朝的統治範圍。但是，對於清朝而言，台灣是邊陲中的邊陲，送給日本也不可惜。台灣被認為介於華夷之間的夾縫，這主觀的判斷來自於文化的有無。

「文化」這個詞彙在中文的用法上，意義深遠。

中文裡的「他沒有文化」，是一句侮辱人的話。對於從一流大學畢業的人才會評價他「文化素質非常高」。從這些用語可知，文化在中國社會裡是一個判斷人有沒有價值的重要標準。

台灣因為「沒有被涵括在中華文化圈」，而被中國拋棄，對於台灣人來說是個根深柢固的創傷，也成為民進黨主張台獨意識及反中國意識的動機來源，可說是國家級的創傷。

杜正勝一連串的故宮「台灣化」改革，某種意義上可理解為對於長時間拋棄台灣的「中華」所進行的「復仇」。

和杜正勝的訪談進行了三個小時，也曾問過他對「復仇」的看法，杜正勝說：「不對，不是這麼狹隘的想法。」他很認真的否定。

但是他也沒忘記附加了以下這段話：「所有的事情都想用中華來說明，就會變得很奇怪，這也是一個事實。例如在我就任前二〇〇〇年春天時，故宮舉辦了從中國四川三星堆遺址出土的青銅器文化展。三千年前的三星堆遺址，基本上與中華的殷商王朝文化是隔絕的，在文化上屬於不同的系統。但是故宮的海報上寫著『華夏古文明的探索』，將三星堆算成中華民族的榮耀。這就是以中華一元博物館為前提所誤導出來的結論，做出不符史實的文化解釋，過去在故宮經常發生。」

「乾隆皇帝時期與海外接觸頻繁，郎世寧的作品就是很好的例子，他的畫不能說是中國傳統文化，只能說是中西美術傳統的結合。我們透過展覽，強調這個『非中華』的部分，對於收藏品的解釋和角度，不會像以前那樣明明有非中華文化的部分，但硬要講成中華文化。」

杜正勝就任故宮院長後，要求職員具有「改革意識」。

他上台後不久就寫信給全體職員，信是這麼寫的：「故宮或許是偉大的博物館，『故宮是世界級的博物館』這樣的想法，放在心裡就好，不必對外說出來。各位都是專家，也去過世界各地的博物館，對於我們自己的實際狀態，應該可以十分冷靜、客觀的評價。」

杜正勝迫使故宮職員承認故宮不具世界水準。

對於故宮人而言，這是要求他們進行顛覆性的意識改革。一九二五年北京的故宮博物院誕生以來，「故宮是世界頂級的博物館，是中華民族的瑰寶，是中國正統的統治者，是中華民國的驕傲」等等想法，烙印在故宮人的心底。

杜正勝更在這封信中提到：「應該檢討亞洲大陸文化發展下的中華民族文化，從這個觀點來看，現在博物館學中並無單一民族博物館的存在。」

在專訪中，杜正勝也對故宮的「狹隘」提出質疑：「故宮的收藏呈現了中華文化最精緻的一面，這是沒有錯，但是沒有辦法全面性代表中華文化，它算是中華文化的頂端。過去故宮的院長那麼肯定中華文化的偉大，無形中把自己博物館的地位抬到非常高。我的態度是從世界博物館的角度來看，台北故宮的收藏有很好的精品，不過和其他世界著名的博物館相較之下，不論從收藏品的數量或是多元性來講，很難說是世界最好的博物館。它只是集合了一部分中華優良文化的博物館。」

如此激進的態度，引發職員的強烈反彈及疑惑。有位當時聽過杜正勝演講的女性職員對我說：「改朝換代，就變成這樣嗎？真令人洩氣。」

杜正勝不僅是位學者，他是故宮的頭號人物。這樣的發言來自首長，否定了長期以來為大家篤信的故宮存在意義，因此他丟下的不只是一塊石頭，其引起的餘波盪漾，呈現了多樣的狀況。

杜正勝和其前任院長秦孝儀，在院長交接前的二〇〇〇年四月二十七日，兩人為了業務交接的事情見面。秦孝儀向來是主張「故宮只蒐集華夏文化的精髓，是單一民族和單一文化的博物館」的人物。

杜正勝說出了自己的抱負，是建立一個「以多元世界水準為目標的博物館」，秦孝儀對此表示：「多元化也許是世界博物館的趨勢，但一元的故宮以一元的華夏文化為特徵，這是值得驕傲之處，不應視為弱點或負債。」他正面回應了杜正勝。本來應該是禮貌性的會談，結果變成針鋒相對。

二〇〇一年二月四日在台北有場研討會，討論博物館的定位。參加分組討論的在野黨國民黨立法委員陳學聖說：「故宮因為中華文化的文物，而聚集了國際的人氣。要涵括台灣的文物，在經營博物館上是不太可能的。」希望當時在場的杜正勝，沿襲過去中華文化的路線。

此外，本來應該與杜正勝站在同一邊的執政黨民進黨立法委員林濁水卻說：「想要拿台灣文化與中原文化對抗的氣概很好，但是要台灣文化追上中原文化，是不是要花上一百年，甚至一千年呢？」對於杜正勝急切的行動，提出規勸。

然而，民進黨指揮部已經下令加速實現政權的最大目標，在台灣政治上「去中國化」。打出故宮改革的王牌，就是興建「故宮南院」的計畫，這也是台北故宮的第一個分院。

被釘在南部的改革之鑰——「故宮南院」

二〇〇一年，陳水扁政權公布了在南部嘉義縣設立故宮分院的構想，稱為「故宮南院」，這是台北故宮的第一個分院。過去在北京故宮博物院時代，曾在南京設立分院。

選定嘉義為設立地點，飄散著政治味。

嘉義是個與日本人關係深厚的地方。戰前台灣被日本殖民時，來自台灣的嘉義農林隊曾經參加全國中學棒球賽（就是現在的「甲子園大賽」），當時表現得十分活躍，很多日本人都知道這支隊伍。此外，嘉義位在台灣觀光著名景點阿里山的登山口，這裡也是阿里山森林鐵路的起點，這條森林鐵路擁有許多日本粉絲。

嘉義除了農業和林業以外，沒有什麼其他產業，人口也只有五十萬人左右。在此地興建一個代表台灣的博物館，不能否認是有種不相稱的印象。但是，嘉義是執政黨民進黨的重要票倉，當時的嘉義縣長陳明文也是民進黨內的

» 左：故宮南院發展願景圖，右：故宮南院預定地（著者攝影）

實力派人物。

陳明文本來是國民黨的地方政治人物，後來倒戈加入民進黨。相較於民進黨中多是具有理想性格、擅長組織運動的人士，陳明文屬於花言巧語型的政治人物，二〇〇九年卸任縣長之後，又在隔年的嘉義地區立委補選中當選。他不選擇往總統、行政院長的政治之路，而是頑強地留在地方，保持政治實力。

我到台灣就任特派員以後，到各縣市政府巡迴拜訪，也曾與陳明文在縣長辦公室見面。令我驚訝的是，就在離開縣長辦公室後的幾個小時，台灣的通訊社便發出「陳明文縣長與朝日新聞談話」的新聞稿。順勢宣傳自己是外國媒體矚目的人物，真會現實算計。許多相關人士認為，這是陳明文為了振興地方、發揮影響力，對陳水扁下了工夫，所以才能成功引進故宮南院。

從日治時代以來，一眼望去淨是甘蔗田的廣大土地上，響起打地基的聲音。周圍除了工地辦公室外，沒有任何建築物。老實說，我心裡閃過一個念頭：「在這樣的地方蓋博物館會變得怎麼樣呢？」

我在二〇〇九年拜訪「故宮南院」，這是民進黨陳水扁政權時代提出要興建首次的台北故宮分院的預定地，本來預計在這個時候就應該要開幕了，但工程進度大幅落後，還在持續打地基的基礎工程。

計畫是在台北故宮面積四倍大的七十公頃土地上，投入七十一億元新台幣的預算，委託美國著名建築師普理達克（Antoine Predock）設計。二〇〇五年開工，預定二〇〇八年開幕。

故宮本院是「中華文化的博物館」，故宮南院則是對照被明確定位為「亞洲文化的博物館」。繼杜正勝之後，二〇〇四年就任故宮院長的石守謙，對於故宮南院的未來樣貌，大致是這樣構想的：「故宮南院一開始需要兩千五百件文物，將從故宮本院收藏的文物中挑選一千五百至兩千件與亞洲相關的文物移過去，另外將使用五億元新台幣的經費，向海內外的收藏家購買。博物館內將設五個主題展覽室，包括佛像、彩瓷、西藏文化、茶文化等，不只是中國文化，將廣泛涵括東南亞、日本、韓國、南亞等文化的特色。從中國內收集而來的原來收藏品中，加上亞洲各地新蒐集的收藏品，形成中華與亞洲的組合，體現出故宮在中華及亞洲的連續性。」

故宮打出的方針是，在本來的收藏和新購置之外不足的部分，與歐美擁有豐富亞洲文化典藏的博物館或美術館合作。把台北故宮尚有餘裕的中國美術收藏品借出，與歐美的亞洲美術品交換展出，這樣既不需成本，又能豐富展示品。

故宮南院的設立，除了故宮的「亞洲化」之外，尚有其他目的。過去台灣的文化行政重點一直以台北等北部地區為中心，民進黨政權希望轉移到民進黨的南部地盤。

故宮有三件超人氣的收藏品，稱為「三寶」。

第一寶是說到台北故宮任誰都會想到的「翠玉白菜」。這是模仿白菜的翡翠雕刻傑作，白色的菜身上有翠綠的葉子，還雕有螽斯和蝗蟲。作品主題一目瞭然，因此備受歡迎。

第二寶是「肉形石」。這塊「東坡肉」是使用瑪瑙類礦物加工琢磨而成，呈現出瘦肉、肥油、肉皮三層層次分明的質感，看到的人都覺得很有意思。

最後是「清明上河圖」。前兩件作品與其說是藝術價值，不如說是主題淺顯易懂，因此能聚集參觀者的人氣。而「清明上河圖」則是真正中華文化的歷史傑作。作者是北宋的畫家張澤端，刻畫了北宋京城汴京（現在的河南開封）在清明時節的城市生活。畫中共有一千六百四十三人，個個動作姿態不同，描繪得維妙維肖，是中國歷代繪畫中的佳作之一。原作在北京故宮，台北故宮的「清院本清明上河圖」是清代宮廷畫家所畫。

民進黨政權首度將這「故宮三寶」帶出台北故宮。二〇〇三年在南部高雄舉辦故宮三寶展覽「璀璨東方」。當時的故宮院長杜正勝曾說，在南部舉辦展覽是要「改正台灣文化資源南北分配不均」。

台北是台灣的首都，台灣的主要行政設施、博物館、美術館大都集中在台北。南部對於國民黨的「台北優先」經常表示不滿。台灣的「南北差距」問題，在國民黨支持者集中北部、民進黨支持者集中南部的政治結構背景下，民進黨想要打破文化面的南北差距，也因此將「故宮三寶」帶到南部展覽。

民進黨的主張是希望讓故宮文物親近台灣人民，對此我也有部分同感。

我發現台灣人向外國人介紹台灣景點時，一定會提到故宮。但是他本人卻對故宮沒興趣，也缺乏相關知識。簡單說，台灣人認為故宮是個驕傲，但是並不喜愛它。

當我提到這個觀點時，原來一直板著臉的杜正勝這時突然笑了。「你的觀察很敏銳，可以抓到人民內在的思考。這個問題應該是很重要的問題，但是大家多少都在迴避，不願意直接面對。」

杜正勝說：「國民黨統治時期一切都是暫時的，故宮的文物也是都要回到大陸。當他們發現反攻大陸不可行時，採取的方法就是告訴民眾這是中華文化很偉大的地方，代表我們國民黨是正統，在北京看不到，你們要崇拜、認同。這樣的態度真的能讓人「認同」故宮嗎？因此我們要推動的是讓故宮走入人群，故宮要開門迎接台灣的觀眾，甚至『故宮要走出去』，要台灣人發自內心的對故宮感到驕傲。」

「第三位院長」是女性

二〇〇四年五月第二任的陳水扁政權開始，杜正勝轉任教育部長，原本在杜正勝旗下擔任副院長的石守謙，成為民進黨政權的第二任故宮院長。

石守謙一九五一年出生於台灣，曾在台灣大學美術史研究所擔任所長，專攻美術史。與個性外向、發言經常「突槌」的杜正勝相比，石守謙給人溫厚的印象，屬於謹言慎行的學者類型。

我幾次申請採訪都被石守謙拒絕，石守謙下台後，因為故宮改建貪污事件嫌疑而被逮捕，審判正在進行，故而對外的發言更加謹慎。石守謙曾在各地發言中，提到故宮的數位化和國際交流，但是有關民進黨的故宮改革，卻沒有留下任何的書面資料或發言紀錄，由此推斷，可能他與第一任院長杜正勝對於故宮改革的立場不同。

他以美術史學家的身分，曾寫過一篇論文〈從皇帝收藏到國寶〉，是他在二〇〇二年受邀到日本研討會上發表的文章。內容論述曾是清朝皇帝收藏的故宮文物，為躲避戰亂在中國各地流浪的過程，最後獲得國寶的位置，稱得上奇蹟似的顛沛流離行蹤，而晉升「神格化」。美術史學家的流暢筆調，描寫出故宮歷史與權力的關係。

石守謙對於故宮的瞭解程度之深，可從這篇論文探知。不過，石守謙還是謹守美術史學家的專業立場，在論文中看不到像杜正勝那樣尖銳的政治主張。反過來說，從陳水扁的角度來看，要擔任民進黨的故宮改革者，可能是力有未逮。

石守謙兩年後下台，接下來後面兩年是原來擔任副院長的林曼麗，她在二○○六年就任，是第一位女性院長。林曼麗是陳水扁進行故宮改革的王牌，老早以前就被相中要她擔任院長。

林曼麗會說流利的日文，她在台灣師範大學專攻美術學後，一九八○年赴東京大學留學十年，在日本拿到碩士和博士，回到台灣在大學擔任教職，也曾發表自創的現代藝術作品。

» 林曼麗（著者攝影）

就故宮院長發揮的影響力而言，也許較杜正勝略勝一籌。她是女性，專攻現代藝術，出身台南（與陳水扁相同），大家都知道她與陳水扁立場非常接近。

林曼麗也以「陳水扁的私人文化顧問」自居。

陳水扁擔任台北市長時代，挖角當時是研究人員的林曼麗來負責文化行政，因此兩人關係深厚。一九九六年，陳水扁起用林曼麗擔任台北美術館館長。那時林曼麗以東京藝術大學客座教授的身分住在日本，回到台北的大學沒多久。「我等妳回來，希望妳能讓台北市立美術館重生，把台北變成美術都市。」

陳水扁說服了她，於是林曼麗先向大學申請停職。

林曼麗對於歐美日的藝術潮流相當熟悉，積極引進海外重要美術館合作辦展，過去辦展不常受矚目的台北市立美術館變得完全不同，充滿活力朝氣。

林曼麗在台北市立美術館主辦「台北國際雙年展」，邀請海外的藝術家、挑選展出的作品，其中起用了日本藝術家南條史生擔任策展人。中國的爆破藝術家蔡國強也曾受邀展示絢麗的表演作品，導入這特殊罕見的例子都成為話題。拔擢林曼麗的陳水扁在一九九八年台北市長選舉中敗給馬英九，市長變成馬英九後，原來順利推動業務的林曼麗，捲入了政治風暴。

文化行政的主導權拉開女人的戰爭

馬英九在台北市政府新設「文化局」，首任局長是著名暢銷女作家龍應台。龍應台和馬英九一樣，都是一九四九年以後從中國大陸到台灣的外省人。

林曼麗和龍應台都是台灣具代表性的女性文化人，林曼麗是一九五四年生，龍應台是一九五二年生，年齡上也十分相近。組織體制上，文化局長龍應台是台北市立美術館館長林曼麗的上司，但是兩個人都是不服輸的個性，自此展開了「女人的戰爭」。

陳水扁在台北市長選舉敗選後，在二〇〇〇年春天的總統大選選戰上，打敗國民黨候選人連戰。陳水扁計畫在台北市立美術館舉辦就職國宴，他向過去的老部屬林曼麗提出這個構想。

根據林曼麗的說法，戰火是在化妝室引爆的。當時台北市議會正在開議，林曼麗在休息時間偶然與龍應台在市議會的女廁相遇，林曼麗告訴龍應台有關陳水扁就職國宴的計畫。當場龍應台回答：「沒問題」，但是表情僵硬。

當天晚上，龍應台打了電話到林曼麗的家裡，她已改變想法，龍應台這麼說：「政治應該和文化分開，在那裡辦國宴不妥，我希望停止這個計畫。」

林曼麗試著想反駁，但是龍應台以沒有前例為理由不願讓步，結果馬英九率領的台北市府團隊做了決定，停止陳水扁的總統就職國宴。

之後也發生多次林曼麗和龍應台間對立的局面，美術館的經營也不像以前可以自主決定。陸續發生預定的計畫遭到變更或中止的情形，林曼麗「為了名譽」，辭意甚堅。

二〇〇〇年夏天，龍應台先有了動作，她把林曼麗找到市政府來，告訴她要調職，談話內容令林曼麗相當生氣。

「從美術館館長下來，調市政府當參事。」

所謂參事，是個榮譽職，擺明就是要換人。

「我是政務官，也是教授，怎麼會任命我去當參事……」

林曼麗提出抗議，同時也考慮著把手上的東亞油畫展辦完後辭職，告訴龍應台不會接受參事的職務。林曼麗在油畫展結束後下台，她回顧這段往事：

「結果那些人不喜歡陳水扁當選，找到讓他們不高興的素材，就把我趕出去。」

但是龍應台這邊的說法是，林曼麗才是和陳水扁關係密切，政治味濃厚的動作很明顯，主張要「避免外界批評把政治帶進文化」。此外，我也從台北市政府

» 龍應台（著者攝影）

相關人員得知，美術館內部員工對於林曼麗的營運作法及人事不滿，曾向市府高層投訴。根據他們的說法，龍應台解聘林曼麗的原因，不純粹是政治對立的因素。

林曼麗離開文化行政工作一陣子，復出的機會在二〇〇四年到來。陳水扁在當選第二任時，詢問她擔任故宮副院長的意願。

對於當時陳水扁的樣子，林曼麗仍歷歷在目。她被叫到總統府的辦公室。性急的陳水扁直接切入主題：「要任用妳為故宮的副院長，請妳接下這個位子。」

林曼麗有點疑惑，一方面是事情來得太突然，另一方面是因為林曼麗對於故宮這樣的博物館有她自己的想法。

林曼麗的專業在於現代藝術，她在大學任教，也發表自己的作品，在這個領域有相關的人脈和知識。但是，她對於傳統的中國藝術並不熟悉，更何況林曼麗本來就對故宮感覺相當疏遠。

「對我而言，故宮不是有魅力的地方，它的收藏的確是人類的財產，也很令人讚嘆。但是這是一個象徵中國文化的地方，聯想到的就是權威、政治、令人窒息。我是個獨立自主、喜歡嘗新的人，一開始就對陳總統說『no』。」

談話的時間超過一個小時，陳水扁對林曼麗說，故宮副院長的位子是「進可攻、退可守」，意味著未來可能再晉升為故宮院長。「也可能往上升為院長，如果不如意，也可以回到大學教職」，希望她兩邊斟酌考慮，接受這個職位。

在勸說的過程，陳水扁甚至對林曼麗這麼說：「我希望把故宮變成台灣的博物館，像妳這樣的人到故宮，才可能變成台灣的博物館。無論如何希望妳接下這個位子。」

陳水扁的態度，讓林曼麗「感受到總統改革故宮的決心」。不過，她當場還是婉拒了，離開了辦公室。因為不知道自己在故宮可以做什麼，「沒有明確的遠景」。

離開辦公室時，陳水扁不太高興，也沒再多看林曼麗一眼。

林曼麗自許是「陳水扁在文化事務上最為信任的諮詢對象」，總統陳水扁信賴自己、決定任用為故宮副院長，看到陳水扁沉默不語的樣子，林曼麗感到「不接下來就是對不起陳水扁」，當天晚上就回電話表示願意接任。

兩年後，林曼麗接任院長，為這個背負沉重「古代」歷史包袱的故宮，注入了「現代」的新鮮燦爛空氣。

「old is new」。林曼麗一就任就對外提出這個口號。

二〇〇七年我第一次專訪時，林曼麗針對「old is new」提出了說明：「為傳統文物引進二十一世紀的技術，產出新的價值。各個文物都有其獨特的背景和故事，將文物的設計結合商品開發。文物藝術創作之初，也是運用當時最新的技術，因此今日的古典，其實是昨日的前衛。先進的技術從舊的東西得到養分，運用高科技將人類遺產刻畫入生活與心靈之中。」

林曼麗運用電腦動畫效果製作介紹文物的節目，也與「國家地理頻道」等外國電視頻道合作，以最新攝影技術製播電視節目介紹文物。

當時故宮正在進行由杜正勝發起、林曼麗執行的大規模整修工程，打破過去故宮創設以來都以展品「類別」區分的陳列方式，改為「依照年代順序」。希望藉由「在哪一個朝代、什麼樣的人創作出來」的概念，讓參觀者更有意識。

在組織人力上也有所調整。林曼麗表示，過去故宮多將人員集中在研究及管理部門，不太重視「展示」方面的人力資源配置。「過去的故宮是頭很大，四肢很小。頭就是指研究中心，四肢就是展示、服務、教育、授權管理等部門。我希望加強四肢，充實博物館的對外功能。」

林曼麗的作風，與前述主張及論述都充滿政治味的杜正勝，兩人的表現方式相當不同。林曼麗以博物館對社會的服務貢獻為第一優先，下工夫去引起社會關注，從改變組織架構去吸引大家來到博物館，進而喜歡博物館。這與過去「保管為第一要務」的傳統故宮觀念截然不同。

國民黨的阻止行動之前

就像陳水扁對林曼麗說的，民進黨希望把背負著「中華」招牌的故宮轉變為「台灣的博物館」。為什麼呢？從民進黨的觀點來看，對台灣民眾來說，中華只是壓抑台灣的對象。第一位民選總統李登輝把國民黨與日本、荷蘭同樣列為「外來政權」。因此中華就是台灣的「外來政權」的證據，唯有克服了中華，才能算是民進黨政治為台灣帶來變化的象徵。

但是隨著陳水扁的人氣低迷，民進黨的故宮改革工作也蒙上烏雲。陳水扁在二〇〇四年的總統選舉僅以微小的差距險勝，二〇〇六年又因為總統府國務機要費事件，支持率急速下滑。

二〇〇七年五月二十四日，台灣各報刊登了前故宮院長石守謙被扣上手銬的震驚照片。石守謙在台北故宮的改建案與業者有不正常的往來，同一天一早因為收賄嫌疑被逮捕接受調查。這是首次有故宮的首長被逮捕。依據法務部調查局的調查，石守謙為故宮本館及周邊設施改建案的負責人，為讓特定業者承包，從定價開始就與該業者聯繫，便宜行事讓業者得標。

另一方面，石守謙方面則主張這不是事實，力保自己的清白，二〇〇九年一審宣判無罪。

故宮南院建案也陷入低潮。故宮南院原來計畫在陳水扁政權最後一年二〇〇八年時完工，但是工程大幅落後的情況已經紙包不住火。二〇〇六年時，院長林曼麗承認工程延宕，對外宣示：「二〇〇九年完工，希望在二〇一〇年開幕。」一半年後又不得不再度修正為「二〇一一年六月完工」。

對外的說法因為數次的計畫變更，使得建築物的設計產生諸多矛盾，為了修正而耗費多時。

故宮的興建預算執行須獲得立法院的同意，立法院內在野黨國民黨占多數，國民黨立法委員針對故宮南院的興建計畫提出很多疑點，因此工程進度遭遇很大的困難。

台灣的政治體制上，行政權屬於總統及總統提名任命行政院長組閣之行政院。另一方面，台灣還有立法院，與日本相近的選舉制度所選出的立法委員，審議行政院向立法院提出的法案及預算。

陳水扁總統任期八年中，民進黨在立法院一直是少數，這與日本議院內閣制的少數執政黨狀況有點不同。立法院要罷免總統幾乎是不可能，政權不會立即被推翻，但是法案及預算就很容易受到國民黨的威脅，這是制度上的缺點。

民進黨的計畫標榜「亞洲的美術館」，國民黨則對此持反對意見，認為「故宮不可能成為亞洲的美術館，作為中華文化的美術館或博物館比較適合」。這樣的論戰在立法院不斷交鋒，雙方對立情形根深柢固。

國民黨對於民進黨開始的故宮改革，因為看到台灣民眾的支持程度比較高，雖然剛開始不高興但也只能沉默以對，但是後來陳水扁政權明顯弱化，於是開始公開反對故宮改革的行動。

故宮為購買亞洲文物，準備二〇〇八年開館的計畫，編列了新台幣一億七千萬元的預算採購新的文物。二〇〇八年度預算分配中有新台幣七千兩百萬元，但是立法院不同意這項預算。教育文化委員會的國民黨立法委員洪秀柱、李慶安等批評：「預定購買的文物，中華文明只占三分之一，這和故宮以中華為主體的性格相矛盾。」因此凍結預算。

當時我曾專訪洪秀柱，她表示：「這次故宮提案的預算，違反故宮的組織法、預算法，因此予以凍結。二〇〇五年時也發生過相同的情況，但是故宮此次仍不聽勸，造成這次凍結預算，是一種懲罰。用預算購買的文物不應是東亞的文物，而是中華古代的文物。組織法上明文規定，故宮是收藏中華文物，這樣是『掛羊頭賣狗肉』。」

對於故宮南院，她也有一番見解。

「當初設立故宮南院都是政治性的考量，選址時嘉義就不是候選名單的第一名，但是嘉義縣長陳明文是民進黨內的重要政治人物，嘉義又是民進黨選票集中的重點區域，因此選了這個偏僻又有問題的地點。全世界有名的世界級博物館都沒有分院，故宮沒有設立分院的必要。」

當時林曼麗在立法院教文委員會這樣反駁：「我們把故宮定位為世界五大博物館，又是以唯一、單一文明為主的博物館。我們不應該限制主題而畫地自限，而是要藉由擴大收藏品，增加影響力，更加擴大中華文明的魅力。」

但是就國民黨而言，收藏展示中華文物的故宮，並無蒐集亞洲文物的正當性，從制度上看，某種意義上是對的，因此民進黨想突破國民黨立法委員的

「牆壁」相當困難。

這過程中，故宮改革八年來的總結攻防戰，在二〇〇七年底到二〇〇八年春天之間展開。

「國立故宮博物院組織條例」規範了故宮的體制，在立法院進行修正草案的審議，民進黨與國民黨將一決勝負。

該條例於一九八七年施行，民進黨在立法院提出修正案，將「條例」修改為「組織法」。

該條例第一條說明故宮的設立目的，規定：「**為整理、保管、展出原國立北平故宮博物院及國立中央博物院籌備處所藏之歷代古文物及藝術品，並加強對中國古代**文物藝術品之徵集、研究、闡揚，以擴大社教功能，特設國立故宮博物院，隸屬於行政院。」（粗體為作者加註）

民進黨提出的修法版本是把前述第一條粗體的部分刪去，把第二條以後多次出現的「古代文物」文字敍述，刪去「古代」，只剩「文物」。

中國大陸的故宮博物院及中央博物院的文物被運到台灣，嚴謹保管是故宮存在的理由。民進黨的修正案希望把故宮的根切掉，並消除古代中國文物的限制要素，把故宮的徵集方針從「中華」的緊箍咒解開，為故宮南院開道徵集亞洲文物。

結果這個修正案受挫，果然遭到國民黨立委反對，也沒有妥協的空間，粗體的部分全部被保留下來。在這個攻防戰中，民進黨勝利的地方，僅是修正了故宮不合時宜的組織架構，讓組織朝向比較有彈性發展而已。

民進黨的故宮改革是一大敗筆，執政八年間都沒握有立法院的多數，而立法院又掌握法案的決定權，這是最大的敗因。此外，當時的民進黨政權因為陳水扁總統發生醜聞導致聲望低落，下屆總統大選又被認為會政黨輪替，在這種情況下，在立法院占多數的國民黨，也沒必要對民進黨讓步。

陳水扁的密訪

談一段插曲，當執政與在野兩黨攻防戰進入最高峰，故宮改革的總負責人陳水扁於二〇〇八年二月九日造訪故宮。這個日程當時並未公開。

在林曼麗的陪同下，陳水扁進入故宮後面的山洞倉庫。在故宮，進入倉庫稱為「入庫」，需要特別的保全等級，在規定上，就算是總統也絕不可能隨意將文物拿進拿出。

當時陳水扁鑑賞了乾隆皇帝時期製作的「大藏經」。大藏經是佛教經典集大成之作，故宮有許多收藏與密宗相關，稱為「西藏大藏經」。

在台灣和中國，大家相信「看到大藏經的人會有好運」，這時離總統卸任還有三個月，離下一屆的總統選舉還有一個月，陳水扁已經當了兩任八年總統，這次的總統選舉他沒有出馬。當時的選情對於民進黨的候選人不利。陳水扁出身台南鄉下，熱心祭拜土地公，對風水講究，信仰虔誠的性格可見一斑。

林曼麗說：「我不清楚總統是因為什麼想法來鑑賞大藏經。」我的推測是，陳水扁親自造訪推動改革的故宮，依賴類似迷信的行為，可能是擔心當時總統選舉情勢可能敗選。陳水扁後來因為海外密帳等問題被逮捕，在這個時間點上，海外的司法機關詢問有關資金異常匯出的信函已寄到了台灣，陳水扁也知道事態嚴重。

如果國民黨的馬英九當選，那麼資金異常流動的問題就很可能會變成醜聞，陳水扁希望發生奇蹟逆轉選情，也許他的心情已經落到必須祈求大藏經「靈驗」的地步。

「被中華中心主義的銅牆鐵壁阻擋」

二〇〇八年五月上旬，我在台北故宮的院長室與林曼麗見面。幾天後即將下台，我想問她對於故宮改革的自我評價，這是她以院長身分最後一次接受採訪。

林曼麗向來話多，但此時卻不太一樣，表情倦怠，令我印象深刻。提到了對於立法院的不滿、對於故宮南院建築是否完工的不安、故宮的變與不變等等，已經超過了原來預定的採訪時間。

最後我探詢了兩個藏在心中的疑問：「您怎麼看待國民黨的中華意識？」

林曼麗說：「國民黨一部分委員的中華觀念太強。守護中華，和故宮向亞洲伸展擴大，兩者並不矛盾。我已經和許多立法委員溝通過很多次，但是他們不肯相信。我們並不是要『去中國』或『去中華』，但是守護者只是把自己關起來。中華文化的偉大是要把亞洲拉進來，但是他們不願瞭解，真的很可惜。」

林曼麗不得不承認民進黨的故宮改革，在某些部分遇到了中華主義的銅牆鐵壁，在她的談話中毫不隱瞞地流露出遺憾。

還有一個很難提問的問題，但我不得不問：「現在新政權誕生了，故宮將來會如何？」林曼麗回答：「我也不知道，我回答不出來，回答不出來。」林曼麗一直重複著「回答不出來」，接下來就不說了。

強硬拒絕的口氣，令我啞口無言。她大概注意到我的表情，過了一會兒，林曼麗才說了一段話：「有擔心，也有不安。我已經盡我所能了，沒有後悔遺憾。我想我已經打下了基礎，有很多對方想改也改不了的地方。我希望他們能改變想法，這樣我會很高興。不能再回到以前的混亂，那是不對的。所謂的纖細文化，是不容政治粗暴傷害的。」

在民進黨八年故宮改革的最後，好像在等待什麼。

我的預感是故宮將進入「搖擺震盪期」，反而不知該怎麼用筆墨形容，畢竟我覺得這一切很殘酷。

第二章

文物流失——是喪失？還是獲得？

» 北京故宮門口（著者攝影）

我希望從民進黨「惡戰苦鬥」故宮改革的二十一世紀初，將時間拉回到一個世紀以前。

清朝國力衰退已是藏不住的事實，從十九世紀末葉到一九一一年的辛亥革命、一九二五年故宮博物院誕生的這段時間，原本收藏皇帝珍寶的紫禁城，大量流出中國藝術品。在「故宮誕生前夕」，文物就像潰堤水庫般，奔流至全世界，流出的文物也沒有具體的統計數字。但從歐、美、日等世界各地在這段期間形成著名的中國藝術收藏據點來看，數量應該相當龐大。

對中國來說，這是痛失。同時對於世界而言，卻是得到一個瞭解皇帝無窮權力及中華極致文明的契機。

喪失與獲得是一體兩面，如同硬幣的正反面。中國是失去，世界則是獲得。

中國朝代的盛衰與文物

中國的朝代起起落落，盛衰興亡填滿歷史的卷章。中國史令人振奮的魅力，不僅是中國人，也擄獲日本人和世界歷史迷的芳心。中國史沒有什麼禁忌或妥協，殘酷但明快的人際爭奪，深深吸引著我們。

以日本人很熟悉的《三國志》為例，標榜是漢朝後代的劉備，為了生活編織草鞋，曹操雖是家財萬貫但卻是宦官之子，孫權一家都是盜賊出身。全都不是什麼值得誇耀的權勢家譜，他們在悠久的歷史上一夕成名，但最後也落敗下來，高潮迭起。

遵守天皇萬世一系的日本歷史，就沒有這樣的時代。日本天皇家的血脈是不會斷的，就算是在日本戰國時代有人去向天皇或皇族爭寵，但是也沒有人會去斷絕皇族的血脈。

中國的情況不同，自古就有「易姓革命」來支配權力，推翻舊朝代，產生新朝代。「易」的意思是改變，「姓」的意思是家族。表面上說，有德者天命降於斯人，事實上，天命是有實力的人自己創造出來的，易姓革命換言之就是實力主義。

要有天命，軍力是首要條件，也需資金支持。但是要成立一個朝廷，必須統整行政機構、稅制，確保預算，才能有效統治整個版圖。唯有如此，朝廷的權威才得以建立起來。

在政治學上，權威是靠「權力」和「正統性」來確立的。

所謂「權力」，如其文字的意思就是軍力和財力。另一方面，現代社會的正統性是靠選舉及議會的任命所賦予，但是在古代並無民主主義，需要其他東西，那就是文化。

中國歷代朝廷政權為求安定，皇帝幾乎都熱中於蒐集文物。保有文物可以提升成為中華之王的正統性。

代表性人物就是清朝的乾隆皇帝，他的收藏建構了現在故宮的雛形。清朝是少數民族滿族打下的天下，是異族統治的朝代，但是清朝的歷代皇帝比漢族的皇帝更加致力於學習中華文化，愛好文物及蒐集文物，遠勝於過去的朝代。

乾隆皇又是其中文物造詣最為深厚、蒐集文物最為積極的皇帝。

「文物流出」也可說是將乾隆皇帝等蒐集的文物，從他的子孫末代皇帝溥儀手上回到社會的過程。

文物流出的主角——末代皇帝

溥儀的自傳《我的前半生》中，精采描寫了清朝的寶物。

混雜了溥儀的無知與假天真，浮現出喪失的嚴重情況。溥儀好像在寫別人的事情一樣，道盡清朝宮廷內道德淪喪的情形。

「明清兩代數百年來帝王蒐集的寶物，除了第二次被外國士兵拿走的以外，其餘大都留在宮中。這些都沒有清點，就算有紀錄也沒人檢查，所以有沒有不見、有多少遺失也沒人知道。」

「現在想來，這宛如一場大掠奪。參加掠奪的，上下交相賊。換言之，大概有機會偷的，沒有不去偷，簡直是天不怕地不怕。」

偷的方法千百種。太監趁夜摸黑踹開保存文物的倉庫大門，撬壞門鎖，像小偷一樣拿走寶物。溥儀下面的大臣、官員們，巧立名目借出寶物，例如需要擔保品、競標、鑑賞等，甚至向皇帝要求賞賜，想盡所有手段，偽裝合法地把寶物帶出去。溥儀知道這些事，卻不知道該怎麼辦，他回想：「我只想著其他人正在偷走我的財產。」

溥儀的家庭教師是英國籍的莊士敦，依據他的說法，北京的地安門街附近陸續有多家骨董店開張，有些店鋪是太監開的，有些店鋪是朝廷高官或他們的親戚經營的。

某日，溥儀再也受不了了，下令導入盤點寶物的制度。但是剛開始搜查，紫禁城內的寶殿就遭到無明大火，貴重的文物就和「證據」一起葬送了。清朝末年的宮廷混亂情形，實在很驚人。

莊士敦目睹了文物大規模的流出，他擔任溥儀家庭教師的工作，在溥儀被放逐出紫禁城之後，莊士敦甚至幫忙安排落腳處，扮演了溥儀人生推手的角色。

他在著作《紫禁城的黃昏》中提到，這個時期的朝廷「連晚飯的費用都得到處張羅，靠大量的寶石和陶器抵押」。當時的朝廷沒有收入，因此抵押品全流當了，外國的收藏家都來撿便宜。

莊士敦十分擔憂寶物的流失。內務府的官員批評是：「以不經濟的方法處分寶物」。官僚和業者相互勾結，以低於市價賣出。官員當然也從中得到了不少賄賂或好處。

莊士敦經常請求溥儀採取對策，但是溥儀束手無策。莊士敦似乎也知道這位末代皇帝的極限，雖然聰明，但是缺乏執行力。

他曾寫下：「年幼的皇帝是沒辦法到處調查的，沒人教過皇帝什麼是金錢的價值，定期從朝廷的寶庫拿出寶物去賣，應該進帳多少金額，皇帝完全沒有概念。」

對於溥儀和清朝宮廷的官員，他深表同情。

一九一一年辛亥革命推翻清廷，溥儀被限居在紫禁城，同意清朝的宮廷繼續殘存。然而中華民國政府提供的預算經費有限，宮廷要維持龐大的人事費用和基本開銷，突然陷入貧窮的愁雲慘霧中。宮廷自己也不可能有收入來源，自然而然就得依賴變賣寶物了。

政權倒台的混亂程度，可從容忍掠奪的情況來計算。二〇〇三年伊拉克戰爭時，民眾從巴格達的博物館拿走古代文明的收藏品。即使在世界上治安數一數二的日本，一九九五年阪神大地震時，也曾經發生小規模的掠奪行為。溥儀在清朝末年好不容易保住的皇帝權威，在辛亥革命之後，也失去皇帝的身分，寶物的所有人身分也變得含糊不定。

很明顯的，溥儀身邊的人等待的是一個黑暗的未來，能夠偷多少就拿多少，這種反應從人性的角度是可以想像的。

同時，溥儀自己也在文物流失的情況中「參一腳」。

在溥儀還沒被趕出紫禁城前，有人在紫禁城的倉庫裡發現了一本目錄。這是負責整理文物的故宮職員所發現的，名稱是「賞溥傑單」及「收到單」，也就是「給溥傑的恩賜清單」及「領收清單」。根據這份資料，溥儀給了弟弟溥傑大量且貴重的文物，溥傑拿到市場上用文物交換金錢，和溥儀對分。透過這個方式流出的宋、元、明朝的書籍達兩百種，唐代到清代的書畫約有一千件。我們可以這樣看，溥儀藉此籌措生活費的同時，也在積攢被趕出宮廷之後的生活所需。

溥儀既是寶物的所有人，也是偷寶物的其中一人。

溥儀為了保命，充分地利用了文物。

例如，在一九二三年曹錕就任北京政府的大總統時，溥儀很慷慨的把文物當作生日禮物：哥窯天盤口大瓶二件、嘉靖青花果盤二件、玉雕雲龍大洗一件、白玉雙管甲扁瓶一件、白玉詩歌山子一件、碧玉仙人山子一件、古銅三足朝天耳爐一件、古銅鼎一件、古銅鎏金雙鹿耳尊一件、琺瑯葫瓶一對、琺瑯宮薰一對、紅雕漆格一對、紅雕漆雙耳尊一對。

每件文物的價格不詳，但是以常識來判斷，哥窯是宋代五大窯之一，價值自然不菲。溥儀將這樣的文物當作生日禮物，送過吳佩孚、張作霖、徐世昌等軍閥人物。他不只把文物當作資產來源，也充分運用在交際往來之中。

而且，《我的前半生》中也生動地描寫了溥儀自己和寶物的去向。

溥儀在被逐出紫禁城後，到日本建立的滿洲國當皇帝，又在日本戰敗後被扣留在蘇聯。之後移送給中國，在撫順、哈爾濱的政治犯收容所，和其他戰犯一起接受思想改造。

溥儀從紫禁城帶出的皮箱，底層藏著小型的首飾。又擔心如果被發現，自首還是會入罪，猶豫再三，最後接受共產黨的勸說「認罪坦白從寬」，才鼓起勇氣交出「白金、黃金、鑽石、珍珠等精心挑選的四百六十八件貼身首飾」。

溥儀的面前是滿桌的首飾，他低著頭：「藏匿了這些東西，是犯規，犯了國法。這些原來就不是我的東西，是人民的東西。」

收容所所長讚揚溥儀的勇氣，並沒有沒收溥儀的東西，而是給他一張收據，這是相當寬容的處理。溥儀感動落淚，也更加信任共產黨，成為共產黨思想改造的佳話。

不禁令人感慨，溥儀是個被寶物左右人生的可憐人。

香港展出溥儀的首飾

我在香港看到了溥儀的首飾，激起了對於那個時代的想像。

亞洲藝術品市場的中心香港，有兩大拍賣公司佳士得和蘇富比，從世界各地蒐羅了中國的藝術品，每年在春秋兩季舉辦拍賣會。二〇〇八年秋季的拍賣會上，一支翡翠髮簪榜上有名。

同一年夏天在台北的會前展示會上，從紐約來的美國人是佳士得的專家，我向他探詢了這支髮簪的由來，他回答我：「這是清朝流出的東西，還有一支一模一樣的東西在瀋陽。簪通常是一對，這應該本來是一對的。」

據說簪的所有人在台灣。從拍賣會場往下眺望，可以看到香港最美麗的海港維多利亞港，這支簪放在玻璃盒裡，美得令人屏氣凝神。翡翠特有的深綠，使人聯想到深山中的湖水，簪的銳角形狀弧度極美。簪本來只是日常用品，這支簪已達藝術品的境界。

佳士得開出較高的價格競標，當時正逢雷曼兄弟事件，買家反應不佳。沒有買家因此流標。如果我有錢的話，應該會認真考慮參加競標。

幾個月後，從台北飛到寒冬中的瀋

» 香港拍賣會上現身，與瀋陽故宮為一對的翡翠玉簪（著者攝影）

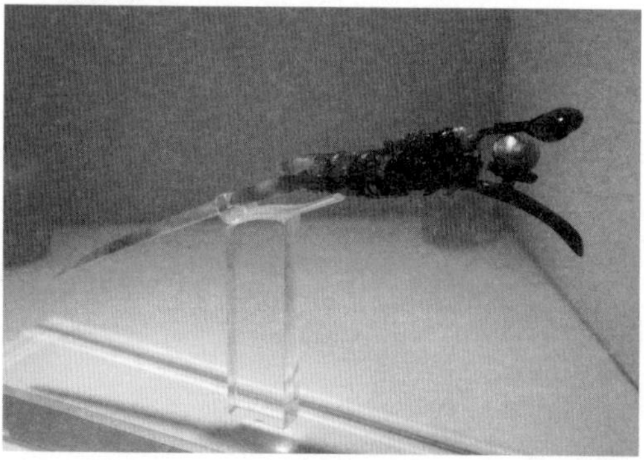

陽。因為兩岸關係改善，直航班機十分便利。以前從台北到北京或瀋陽，必須在香港或韓國濟州島轉機。直航以後，所需時間只要過去的一半。

瀋陽位於中國東北地方，是清朝滿族的故鄉。清朝開國皇帝努爾哈赤在此建都，滿洲國時代稱為奉天。王公貴族為了躲避北京的酷暑，把瀋陽當作避暑勝地。還留有當時宮廷建築，小紫禁城變成了瀋陽故宮博物館，也被列入世界遺產。

» 瀋陽故宮（著者攝影）

佳士得在競標之前，二〇〇八年夏天時，和瀋陽故宮有了接觸。

與我應對的是副研究員李理，他接到佳士得的電話。對方詢問：「有一件競標的藝術品，想請您看看。」當打開佳士得寄來的電子郵件的附件時，李研究員腦海裡閃過一個東西，回答說：「我們倉庫裡有一件類似的東西。」

佳士得並非知道瀋陽故宮有類似的東西，而是把相同的問題問遍了中國各地的博物館，正巧在瀋陽故宮找到了。李研究員據說花不到一小時，就從收藏品的清單中找到了這支簪。

雖然一看就知道是貴重的東西，但在現在的拍賣市場上，非常重視「來歷」，也就是競標品的歷史。在哪裡做的？經過誰的手？命運愈是驚濤駭浪，價值就愈高。

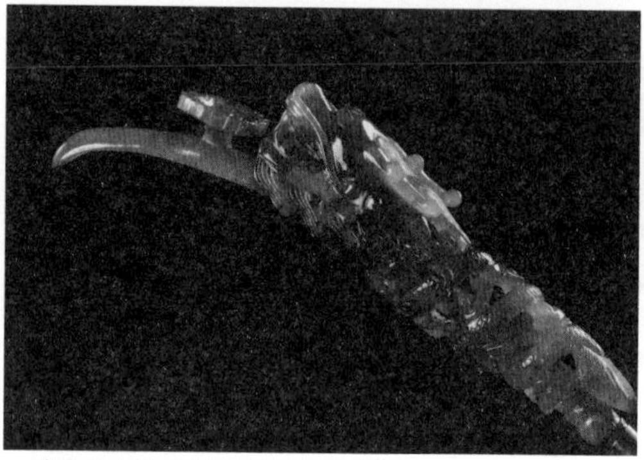

» 瀋陽故宮的清朝翡翠頭簪局部圖（著者攝影）

從李研究員傳來的瀋陽故宮所保管簪的相片，經過鑑定，的確是一對，佳士得非常高興，於是拿到拍賣市場上。

瀋陽故宮收藏的簪，右側裝飾的寶石掉了，改以金屬補綴。簪上有一隻蟋蟀，刻有雲彩的圖案。李研究員研判：「這是清朝末年的作品」。

溥儀交給收容所所長的首飾，經過一段曲折離奇後，移交到瀋陽故宮保管。這支簪確實極有可能原來是溥儀的東西。李研究員經過鑑定：「當時的首飾通常是做成一對，我從材質、加工、設計可以斷定，這兩支簪原來是一對的。」

一支簪在某一個時期流落到外面去，另一支則由溥儀放在行李箱裡帶出。這對經過「生離死別」的簪，因為拍賣的機運，透過電腦畫面，在一百年之後跨越時間再次相遇。

我從南國台灣飛到零下二十度的寒冬瀋陽故宮，李研究員送我出來時，小小聲地說的一段話，令我難以忘懷。這是從事學術和歷史的人，才會有的思慮感慨。他說：「歷史是無常的，原來是一對完美組合的簪，因為戰爭和人們的想法而離散，然後再度偶然相遇。你不覺得這也給現代人一個啟示嗎？要好好珍惜這些老東西。一旦失去了，要找回來可不容易。這對簪極其幸運再度相遇，但是有成千上萬的東西可能就永遠失散了。」

文物流出傳播中華文化至世界

這個時代的清朝，文物遭到三次流失的災難。

首先是一八五六年亞羅號事件引發的第二次鴉片戰爭，一八六〇年英法聯軍入侵北京，占領圓明園，據說掠奪了兩萬件文物。原來作為皇帝辦公室兼休息園庭的圓明園，因此變成廢墟。第二次是一九〇〇年的義和團之亂，英法德俄日等八國進駐北京。頤和園等皇族的設施，都遭到各國軍隊的掠奪。第三次是辛亥革命後，溥儀、王公貴族、朝廷官員等從紫禁城夾帶文物出去。

對於中國，這是一場大悲劇，但卻讓世界瞭解了中華文化。

英國大英博物館、美國大都會博物館、波士頓美術館、法國國立吉美亞洲藝術博物館、日本東京國立博物館等世界頂級的博物館，都以收藏第一流的中國藝術品而自豪。歐美特別開始收藏和展示中國的藝術精品的時候，發生在十九世紀末到二十世紀初期。沃倫・科恩（Warren I. Cohen）的名著《東亞藝術和美國文化》（*East Asian Art and American Culture*），敍述了美國接受亞洲文化的過程，書中以「蒐集東亞藝術的黃金期」來形容這個時期，指出美國「大大小小各個美術館展開收藏亞洲精緻的藝術」。

在當時的世界，最早接觸到的東洋藝術是日本文化。北齋風潮興起，在波士頓美術館擔任亞洲美術策展人的岡倉天心，非常積極活躍於美日之間，將日本的藝術介紹到美國。

透過各地熱鬧舉辦的萬國博覽會，東洋藝術品陸續出現，風靡了歐美。來自日本的浮世繪、伊萬里或古九谷陶瓷器聚集了人氣。「日本風尚」

（Japonism）也在此時變成一個專有學派。

例如在波士頓美術館裡的「摩斯收藏」，這是美國動物學家艾德華・摩斯（Edward S. Morse）在十九世紀後期到日本，在日本停留期間走訪各地，蒐集了近五千件的日本陶器。摩斯將達爾文的進化論介紹到日本，也因為發現了大森貝塚而頗具盛名。

摩斯具有獨特的個性，竭力蒐集和介紹日本文化。在當時的時代背景下，歐美興起以日本藝術為中心的東洋藝術愛好風潮，也支持了摩斯的活動。因為明治維新率先開國，日本文化為歐美社會所接受，在世界廣泛傳播是必然的結果。日本占優勢的情況，在二十世紀初開始有了變化。

辛亥革命前後，從中國大批湧出的文物漸漸成為歐美收藏家的注目焦點，特別是在愛好瓷器文化的歐美，將瓷器稱為「china」，明清的中國瓷器比樸質的日本陶器更具魅力。因而到處舉辦展售會，也開始出現鑽研、蒐集中國藝術的專家。尤其是在英國的貴族社會，鑑賞中國陶瓷的沙龍萌芽，中國陶瓷器質量兼具，很快地在市場上就把日本陶瓷器比下去了。

將中國藝術推廣到世界、貢獻卓著的人物中，有一位是日本人。

他是山中商會的山中定次郎。一八六六年出生於大阪堺市，家裡經營骨董商生意，是長男，從小跟著父親，有很多機會接觸作品，年輕時即練就一身鑑定和審美的工夫。山中定次郎夢想到海外大展鴻圖，學習英文變得不可或缺。他成為骨董商山中吉兵衛的女婿，二十幾歲就到紐約開店，並拓展事業版圖至波士頓、倫敦等地，相當成功。「Yamanaka」的名號廣為歐美的收藏家所知，分店網絡遍及芝加哥及華盛頓等地，累積了相當的資金。

山中定次郎本來的事業主力在日本的藝術品及工藝品，逐漸轉換成中國的藝術品。他在北京設點，買下從貴族手中流出來的清朝陶瓷器，一倉庫一倉庫的買，做生意的方式非常海派。《山中定次郎傳》中甚至有段插曲，說山中定次郎在辛亥革命一九一二年後，買下清朝恭親王府的整個收藏品。

明治中期到大正期間，像山中定次郎等的日本骨董商活躍於國際貿易，因為具有瞭解中國藝術的審美眼光，加上學習中文，讓他們取得了歐美人士所缺乏的語言優勢，日本骨董商從明治中期到大正期間在世界的中國藝術界，建立了他們的時代。

其中最突出的就是山中定次郎，一九一九年時曾獲得英國皇室頒贈的皇室用印。

在關西地區開花結果的中國藝術沙龍

我對於故宮文物和關西地區的關係，有著濃厚的興趣。在關西地區，擁有很多東洋美術的資料館和博物館。東京是集中在東京都內，關西的特色則是以京都為重心，並分散在大阪、兵庫、奈良等地的文化場所。

住友財團的住友吉左衛門建立了世界頂級的青銅器收藏。住友是關西最具代表性的財團，因為經營銅礦，覺得青銅器這個藝術品與自家企業形象十分相符，所以開始投入。這系列的青銅器作品現在收藏於京都的泉屋博古館。東京也有一家同名的博物館，這裡是以住友吉左衛門的長男——住友寬一——購買的中國繪畫為主。

京都商人藤井善助因為經營貿易致富後，蒐集許多書畫和工藝品，開設了「藤井有鄰館」。《朝日新聞》的創辦人上野理一，執著於書畫收藏，後來寄贈於京都國立博物館，名為「上野收藏」。二〇一一年一月至二月間，京都國立博物館舉辦特展「筆墨精神」，展出多件上野的收藏，我也前去看展。有許多件作品都被列入國寶或重要文化財，品質之高，令人目瞪口呆。

白鶴酒造的釀酒家第七代嘉納治兵衛，廣泛蒐集了中國的青銅器、金銀器、陶瓷器等中國藝術品。現在是白鶴美術館（神戶市）的鎮館之寶。東洋紡績社長阿部房次郎所蒐集的中國繪畫，寄贈予大阪市立美術館。神戶商人黑川幸七蒐集中國書畫、貨幣、鏡、刀劍等，現在放在黑川古文化研究所（西宮市），廣泛作為研究及展示之用。

這些關西地區的商人組成了「蘭亭會」，是個熱中於中國藝術品的沙龍。「蘭亭會」每月一次在京都的豆腐料理名店南禪寺舉行。在這個沙龍裡有位重要人物，他是戰前具代表性的東洋史學者內藤湖南，他提倡亞洲主義。除了內藤湖南，還有犬養毅（五一五事件被槍殺）、羅振玉（甲骨文研究專家，辛亥革命後逃亡日本）都在蘭亭會中，成為這些關西商人的導師。其他還有郭沫若、梅原末治等大名鼎鼎的人物現身蘭亭會。他們帶來文物的知識與見解，讓關西商人為之醉心，賺來的財富都不惜投入流落日本的中國藝術品。

內藤湖南等人認為，與其讓歐美拿走中國文物，不如由鄰國的日本保管，理想的希望本於敦親睦鄰的精神，將來有一天讓文物回到中國。這種對於中國文物的態度，可說反映了理想派亞洲主義，相當程度影響了這些商人。

二〇〇九年冬天，我造訪黑川古文化研究所，他們說明了黑川幸七收藏的理念：「並非以蒐集名品或精品為主，而是集中蒐集研究上有意義的文物。他根據內藤湖南等人的建議，思考如何在日本保留傳承中國藝術。」

訪問京都的藤井有鄰館時，館長藤井善嗣告訴我：「藤井善助曾到上海東亞同文書院留學，目擊了大批中國文物從上海港流至歐美，十分痛心。他認為不如移入同文同種的日本，他認為這是自己的使命，對之念念不忘。」

關西地區建立了中國藝術收藏，當時日本和中國尚未進入戰爭狀態。孫中山曾在神戶演說提倡亞洲主義及中日合作。從關西的中國藝術收藏故事中，隱約投射出日本和中國的樣子，沉穩地歌頌著浪漫。

第三章
漂泊的文物

» 過去作為保管庫的安順鐘乳石洞窟（著者攝影）

故宮文物綻放神秘的光芒，被捲入戰火後在中國各地逃亡，最後飄洋過海來到台灣，發生了許多前所未聞、驚濤駭浪的事情。

文物顛沛流離的故事，對於內部的工作人員來說其實是逃避戰禍。本章將透過與文物一起逃難的工作人員，試著清楚說出故宮顛沛流離的故事。

首先要提到那志良這號人物。從一九二五年故宮博物院在北京誕生，之後文物移送台灣，一直到台灣故宮的誕生，他經歷了與文物共生死的所有過程，可稱得上是故宮的活字典。曾經寫下《故宮四十年》、《我與故宮五十年》、《典守故宮國寶七十年》等不少著作。此外，日本歷史作家兒島襄的大作《日中戰爭》中，也描述了那志良登場的日中戰爭。這些著作的線索，就是那志良目擊的流轉經歷。

一九二五年剛從高中畢業的十七歲少年那志良，進入「清室善後委員會」開始工作。這個委員會是清朝最後的皇帝溥儀退位後，在紫禁城所設立的。

清室善後委員會，是北京政府為了清點及運用清朝皇室留在紫禁城的物品所設的組織，是故宮博物院的前身。

即將從高中畢業的那志良，在一九二五年的元旦去拜訪高中時校長的家。

正好清室善後委員會希望校長推薦人才來整理清朝文物。校長說：「你的個性認真，這不正是個很適合你的工作嗎？」那志良也沒多想，第三天就開始到故宮上班。

那志良是滿族人，滿族在清朝是統治階層，但那家並非出身於富裕之家，這個工作職缺只是個普通的事務人員。

當時清室善後委員會集合了許多赫赫有名的人士，如汪兆銘、蔡元培、羅振玉等。因為《紹英日記》而出名的清朝官員紹英等人也名列委員。但是他從不出席會議，從他抵制設立故宮博物院的討論行為，可以猜想在故宮籌備過程，他應該沒發揮影響力。

擔任整理文物工作的那志良，當時只是個普通的高中生，對於文物不關心，也一無所知。上班第一天，同事問他：「對骨董感興趣嗎？」他回答：「看不出來和我家的茶碗有什麼不同，不是都很像嗎？」同事們聽了笑他：「你家的茶碗一只三毛，這裡的茶碗一只可是數千萬元。」

北京隆冬，天氣十分嚴寒，因為怕發生火災，所以文物的倉庫都沒有暖氣，在裡頭工作相當辛苦，手腳耳朵都可能凍傷。

那志良等工作人員整理清點告一段落以後，故宮博物院在一九二五年十月十日「雙十節」開幕。選在十月十日辛亥革命紀念日開幕，第一天就有兩萬人以上造訪。清室善後委員會在九月二十九日才決議了「故宮博物院臨時組織大綱」，趕在十天後開館，相當匆忙。

那志良說：「想進去展覽室的進不去，想出來的出不來」，當天場面極為混亂。那志良被分配在紫禁城的「養生殿」房間，混亂中喊著：「前面的人往前進，後面還有很多人排隊。」一整天下來，嗓子都喊啞了。

紫禁城如其字面的含義就是一個「禁城」，自古是皇帝辦公和生活的地方，一般人不能進去的。在中國歷史上首次對外公開，就是故宮博物院的開幕當日。

這正是「革命的果實」，民眾除了關心文物，應該是對於可以解禁進到皇帝的住居更感興趣吧！

故宮雖然成立，但是革命後的中國呈現軍閥群雄割據的狀態，北京政府的行政能力有限。政府的預算一直下不來，那志良的薪資每月只有十五元，這還能維持生活，但是遲發薪水是家常便飯。那志良剛開始負責圖書，後來負責古物。只有週一休假，週二到週六整理文物，週日對外開放，就負責展場的整理。

九一八事變改變了命運

以蔣介石為中心的國民政府在一九二八年完成北伐，中國終於產生統一的政府。故宮博物院的運作也步入軌道。那志良負責「玉器」，他鑽研玉器，留下許多專論著作。

一九三一年，中國發生九一八事變（柳條湖事件）。

日本人以南滿鐵路被炸為藉口鎮壓滿洲，那志良曾寫過一段話：「只拿到我國的東北地方，應該是不會滿足日本人的野心。萬一北京或天津發生戰爭，文物的安全令人擔憂。大家一致的意見就是，應該及早開始準備，離開危險的地方，搬到安全的地區。」

在這之前的一九三一年一月，故宮理事陳垣把那志良找去。

當時那志良的職位是一等辦事員，就是一級事務員的意思。陳垣對他說：「國家滅亡可以再起，文物一旦失去了就永遠回不來。」並將疏散文物的準備工作交給他。最優先要辦理的事項就是將文物裝箱。

因為文物從來沒有離開過紫禁城，故宮裡也沒有裝箱的專家。那志良這些毫無經驗的故宮職員一籌莫展，決定請教在外面骨董商旗下工作的專家。當時在北京「琉璃廠」這一帶有多家骨董商經營的店家，於是借助了他們的知識。

剛開始，那志良等故宮的人員都以為這只是一般的搬家裝箱作業，從專家那裡學到愈來愈多的作法以後，都覺得這項工作很不簡單。

某回那志良對專家說自己的感想：「裝箱好像沒那麼難嘛」，專家們就請那志良嘗試自己把茶碗包起來，再拿起那志良包好的茶碗猛摔，打開包裝一看，茶碗是破的。接下來專家們把自己包好的茶碗也相同地猛摔，卻毫髮無傷。原來專家的作業是有「技法」的。

那志良說，這項技法稱為「穩」（小心）、「準」（正確）、「緊」（緊置）、「隔離」（每件文物都要隔開）。

以最容易損壞的瓷器為例，一開始要將把手和壺嘴用繩狀的棉花纏繞，壺內也要塞緊棉花，整個捆成一個長方形。再用細繩綁緊，裹上棉花，用紙緊捆成包。裝箱時，木箱內用稻草把瓷器塞緊，每件瓷器要用棉花緊置隔開，封箱就可以運送。這是相當深奧的技法。

故宮的職員後來個個成為專家，無人能出其右。因為往後的日子，文物在中國各地移動，那志良等人得不斷地重複捆紮裝箱。

裝箱的文物達一萬九千五百五十七箱。裡面不僅有故宮的東西，一起搬的，還有放在古物陳列所、頤和園和「國子監」的文物。頤和園原本就是清朝皇帝的離宮，而國子監則是自元朝以來的圖書館。其中一萬三千四百九十一箱是故宮的文物，其餘六千零六十六箱則是來自古物陳列所、頤和園和國子監的東西。

文物決定南運之後，引發了反對運動。

「有文物才是北京，文物沒了，北京就失去了存在意義。」有人這麼認為。那志良等職員也接到言論偏激的威脅電話：「你是負責搬運的嗎？小心沒命了，運送文物的火車有炸彈。」

將故宮文物運出北京的時候，正是日軍進攻北京的時期，當時民眾如此認為，因此故宮外圍無論晝夜都有民眾集結。

第一批運送是在一九三三年一月三十一日決定的。當天把文物從故宮送到北京車站，但是搬運工因為害怕反對運動而沒出現，半夜才決定暫停搬運。過了幾天，第一批在二月六日從北京出發。那志良即將跟著到南方，他的嬸嬸抓了一把庭院的泥土給他，還說：「帶上故鄉的泥土，別把家人忘了。」

搬運文物刻意選用日本製造的特別列車，優先於其他列車的發車時刻，在冬天的中國大陸從北京，南下鄭州、徐州，來到南京郊外靠近長江河岸的浦口，這一趟花了一天半的時間。

搬運的同時，中國情勢面臨重大的局面。

二月時，日本拒絕國際聯盟做出的滿洲問題決議。幾乎是在同一時間，關東軍司令部對熱河發動攻擊作戰，熱河後來也劃入滿洲的一部分。

第一批的運送就被留在浦口。情勢緊迫，指揮系統混亂，一直沒選定文物的保管場所。那志良等故宮職員和文物不得已，就在火車上長期待命。

那志良等職員開玩笑緩和氣氛：「就算扛著棺材，也不知道要埋在哪裡！」

後來古物和圖書被送到上海，文獻被放在南京保管。上海把當時在法租界的舊醫院大樓挪作保管場地，是七層樓的建築大樓，全部提供給故宮使用，文物依照種類放在不同的病房。

第二批在三月十四日從北京出發，三月二十八日是第三批，四月十九日是第四批，五月十五日是第五批。象徵中華民族生命的文物南運計畫，悄悄順利進行，沒有遇到太大的麻煩。

首次海外展覽極為成功

文物南運到上海本應告一段落，此時正好有人提案説要送到英國展覽。這是故宮文物首次的海外展覽。

當時歐洲受到清末流出文物的刺激，興起一股中國藝術風潮。英國、法國、北歐等地業者開店，王公貴族競相購買中國的陶瓷器。其中有些收藏家發起，在倫敦舉辦中國藝術國際展覽會。

於是向倫敦的駐英大使館提出了故宮收藏品的出展邀請，這在國民政府內引起了眾多議論。雖然有贊成者認為：「這是向世界宣傳中國文化的最好機會！」但也有反對者擔心：「如果在海上遇到事故或海盜怎麼辦！」因為國民政府向英國借貸高額借款，也有人擔心故宮文物會被扣押。

最後是積極派堅持，提出使用英國軍艦運送及故宮專家裝箱護送的條件，英國方面表示同意。還曾經留下這樣的故事，當時英國主辦方曾問過萊斯保險公司（Royce）的保險金額，結果對方回答：「超出本公司的能力」，不願承保。英國方面很高興用軍艦運送，英國海軍巡洋艦薩福克號（H.M.S. Suffolk）從香港到了上海。戰後故宮文物到台灣以後，赴美展覽也是採用軍艦搬運文物的方式。

此次英國展覽的準備委員會，由英國國王喬治五世和國民政府主席林森等兩國元首擔任召集人，前所未有的國際展覽，拉高至兩國政府的層級。執行委員會主席由曾任國際聯盟中國東北調查團團長的李頓爵士（**Earl of Lytton**）擔任。展示作品也有來自英、法、德、美等收藏的中國藝術品。故宮的七百三十五件及其他博物館挑選出共計一千多件，在一九三五年六月運抵英國。

那志良等四名故宮職員並未搭乘薩福克號，他們從上海搭客輪前往英國。途經新加坡、錫蘭、亞歷山卓等地，靠港時就上岸觀光，大約一個月後抵達倫敦。十一月起展開為期十四週的故宮英國展覽，受到極大的好評，非常成功。

在大陸往西再往西

從倫敦和文物一起回到中國的那志良，此刻又開始忙著把文物從上海搬到南京。南京的「朝天宮」是明代的宮殿，決定在此設置南京分院。明代初期將首都訂在南京時，朝天宮是文武百官演練覲見皇帝儀式的地方。當時的中國已用最先進的鋼筋水泥建好三層樓的文物倉庫，也裝有換氣及溫度調節的設備，地下倉庫作為緊急避難之用，不怕砲彈攻擊，是個非常適合保管故宮文物的場所。

輾轉一千七百公里、離開北京、歷經三年的北京文物，正準備好要搬進去時，發生了震驚全中國的大事。

那就是盧溝橋事變。一九三七年七月七日在北京郊外盧溝橋，日軍和國民政府軍發生衝突，國民政府軍原本採取迴避和日本全面衝突的作法，至此已瞭解到必須進入真正的戰爭了。八月時發生淞滬會戰（又稱八一三戰役，日本稱為第二次上海事變），江南一帶情勢緊迫，日軍攻擊首都南京的危險日增，文物必須再度搬遷。從北京南下的文物，這次得向西走。這個階段的「西遷」，主要分為三條路線。

首先，曾運到英國的故宮精華文物八十箱，八月時送達湖南省長沙的湖南大學圖書館。那志良等人搭船從長江逆流而上到湖北省漢口（武漢），再走陸路進入長沙。當時從南京運到長沙的包括政府重要文件，因此有流言傳出，國民政府可能打算把首都從南京移到長沙。

當時大部分的文物還放在南京的倉庫，戰況愈來愈吃緊，高層下達了文物全部疏散的命令。人在長沙的那志良也接到要他趕回南京的急電。

第一批送到長沙的八十箱文物繼續往西送，大致分為兩部分。

第二批在同年十二月上旬，走水路從南京被運到漢口，運抵漢口的文物有九千三百三十一箱。第三批七千二百八十八箱則是走陸路，到西安西邊的陝西省寶雞，南京在十二月十三日被攻陷，可謂是千鈞一髮。事實上運到漢口或寶雞都不是事先安排的，而是搭乘的火車或船舶正好行經這些地方，情況都很危急。幾乎沒有什麼準備的時間，在戰時要疏散大量文物也是困難重重。

七千二百八十八箱走陸路到寶雞的文物，被安置在城隍廟和關帝廟兩處。這兩座廟都是地方的宗教設施，在地方小鎮上，佛教道教的建築是當地最豪華和最堅固的，這在中國並不稀奇。

從寶雞往東走就是大城市西安，不知道何時會變成日軍的攻擊目標。那志良護送陸路的文物，擔心文物的安全，將文物運到離西安更遠的陝西省漢中郊外的宗營鎮。

雖然是戰時，那志良向地方政府調來二十台搬運用的卡車，將文物從寶雞往宗營鎮不斷的運送。但是正逢冬季天候不佳，輸送隊伍常因大雪而無法動彈。由於走在山間小路，人煙稀少，缺乏糧食，護送的人都已覺悟到有可能在半途身亡，這趟運送相當困難。這麼辛苦的運送也就罷了，而日軍還一步步向西推進，文物也就被逼著一路往西再往西送。

長沙的八十箱文物被運到貴州省貴陽，再被送到離貴陽約一百公里遠的安順洞窟裡。走水路到漢口的九千三百三十一箱被運往四川省重慶，走陸路到寶雞的七千二百八十八箱則經過漢中郊外再被送到四川成都。漢口被日軍攻擊，重慶也危在旦夕，重慶的文物只得再往西到樂山，成都的文物則再往西到峨眉，每條路線都是疏散再疏散。在日中戰爭急速展開之際，忙碌的避難作業也是其中一環。

重慶的文物從長江逆流而上到長江支流的岷江，再運至樂山，而相對於成都的文物都走陸路。那志良在成都每天慌忙著指揮運送、分配卡車及捆裝文物。

當時所有的文物都處於「千鈞一髮」的險境，那志良回想道：「最後一卡車從成都出發後不久，日軍的軍機就到了上空，炸毀機場。天氣晴朗，編隊飛得很高。」

從成都到峨眉直線距離超過一百五十公里，但是道路險惡，載著文件的卡車也曾經半路跌落到小河，幸好文件都沒有破損。那志良說：這是一條最艱辛的道路，甚至還要煩惱沒東西吃。

運送到峨眉的作業告一段落，那志良被派去負責重慶到樂山的運送作業。人手嚴重不足，本來護送文物疏散的故宮專門人員就只有十多人，其中熟稔文物種類及捆裝作業的更少。那志良等職員可說是過著不眠不休的日子。

那志良說搬遷文物的辛苦中，「調度糧食特別困難」。

在四川省想找米飯，就只有夾雜著砂和稻殼的灰色東西。買饅頭也只有黑的，「實在很難下嚥」。

在文物疏散的最後階段，更加危險的事情正等著那志良他們。走水路的九千三百三十一箱文物運抵樂山郊外的安古鄉，但因為河川的寬度很窄，必須從岸邊拉縴引小木船逆流而上。那志良等搭乘的小船遇到急流，與船相連的竹製繩索斷裂，船被捲入急流中，所幸船沒有翻覆擱在淺灘上，人命和文物都沒有損失。

為了保護文物，卡車都行駛得很慢，因此一百公里的路程有時要走上半天或整整一天，加上道路塌陷、輪胎脫落也是常有的事，文物搬遷的作業極度艱辛。即使走水路，分散於各小船也經常遇到危險的狀況。雖然如此，文物幾乎沒有破損或遺失。

從北京出發，歷經超乎想像的困難，堅守護送文物的那志良等故宮職員，在這個過程秉持著一個「信仰」：「文物有靈」。到現在故宮仍傳承著這句話，讓故宮職員護守國寶度過重重危機，自然也就琅琅上口了。

文物疏散工程結束後，那志良在峨眉的保管場與文物共同生活了七年。日軍的攻擊未到達峨眉或樂山，那志良等人得以暫且過著安寧的日子。一九四五年日本投降，一九四七年文物全數回到南京的故宮博物院分院。

南京和北京迄今仍「互不相讓」

在此梳理一下故宮文物流轉的路徑和時期。

一九三三年因與日本關係惡化，故宮博物院的文物走鐵路從北京，經南京，到上海。加上古物陳列所等地的文物，總數達一萬九千五百五十七箱。

當一九三七年日軍接近上海之際，赴英展出的精華文物八十箱，經過湖北省漢口、湖南省長沙，隔年疏散到貴州省貴陽。更在一九三九年運到貴陽郊外的安順洞窟。因為戰火又延燒到安順附近，一九四四年更送進四川省的偏鄉巴縣避難。

剩下的文物中，一九三七年時九千三百三十一箱走水路沿長江逆流而上，一度安置在四川省重慶，一九三九年再走水路運到四川省的樂山。

另一方面，走陸路的七千二百八十八箱從南京北上徐州，再往西到陝西省寶雞，但是停沒多久，又再走陸路到四川省峨眉。

一九四五年日本投降，疏散到巴縣、樂山、峨眉的文物都一度聚集到重慶，走水路沿長江向東而下，一九四七年時回到南京。

以上就是故宮在整個中國流轉的全貌。

從文物的箱數來看，八十箱加上水陸兩路運了一萬六千六百一十九箱，總共不過是一萬六千六百九十九箱。但是南遷時的文物有一萬九千五百五十七箱，剩下的兩千八百多箱是怎麼回事？

事實上是因為戰亂中作業不及，一直被留在南京倉庫裡。

後來中國在共產黨掌權下，設立了南京博物院，保管留在南京的文物。北京的故宮博物院不斷地向南京博物院要求「返還文物」，但是南京博物院無意放手，一直拒絕其請求。

我和南京博物院的前院長梁白泉在南京見面。梁先生是一九二八年生，一九五一年進入南京博物院，一九九八年退休前，一直在南京博物院裡擔任研究員，歷任副院長、院長等職位，這號人物是南京博物院的活字典。

針對南京博物院擁有的故宮文物，梁白泉說：「南京的確有兩千箱文物，現在也還在，這是個非常複雜的問題。」

這批文物大半是陶瓷器，以明清製造的為主。「所有權」在北京故宮博物院，「保管權」和「使用權」在南京，南京博物院是這樣解釋的：「在一九五〇至一九六〇年代間，為了留在南京的兩千多箱，我們歷任院長曾經拜會北京很多次，向北京的故宮博物院表示，我們暫時保管這些文物。故宮擁有所有權，這是毫無疑問的，只是現在沒有必要送到北京，或者過幾年後再送回去，北京方面也表示理解。但是基本上都是口頭上的承諾，沒有留在正式的公文紀錄裡。」

簡單說，南京就算是強詞奪理，也不想還給北京。北京故宮每換一任院長，就會向南京提一次要求取回文物，但南京每次都拒絕。

» 南京博物院（著者攝影）

» 梁白泉（著者攝影）

一九九〇年代時與北京故宮的關係惡化，甚至須請當時的副總理李嵐清出面協調。依據梁白泉的說法：「姓張的北京故宮院長非常強硬，一直要求歸還。當時我也是院長，到北京開會偶然相遇，卻都沒提。這位張院長到處寫信，說『南京博物院不講道理』，還說『南京博物院是不是還想再去成立故宮的南京分院』之類的話，我們也反彈，鬧得不可收拾，把關係弄得很緊張。」

最後，李嵐清說：「別吵了，北京也別鬧了，就這麼了斷了吧。」訂下結論，結束這場風波。

理論上應該把文物還給北京。現在仍約有兩千箱故宮文物由南京博物院保管。訪問南京博物院時，我看到幾件展示出來的故宮文物，並未特別註明。這也許是中國社會的某種彈性吧。

我在調查文物流轉的全貌時，瞭解到兒島襄所著的《日中戰爭》中，之所以使用故宮職員那志良這個角色串場的原因。

如果沒有滿洲事件的開端九一八事變，故宮文物就不會南運。如果沒有中日兩軍在上海衝突的淞滬會戰，就不會西運到四川省。接著，如果日本沒有投降，文物就不會回到南京。這意味著如果抽離中日關係，就沒有文物的流轉。更甚者，如果沒有日本，文物就不會流轉，日本人等於是改變了文物的命運。

清朝滅亡，皇帝的收藏變成博物館收藏的文物，因為戰亂，在大陸顛沛流離，在日本戰敗後終於回到南京。如果順利的話，應該是要回到文物的故鄉，也就是首都北京的紫禁城。

但是，時代並不允許文物返鄉。由於國民黨與共產黨競逐大陸霸權的「國共內戰」，中國人自己打起來了，因此文物橫渡了海峽。

第四章 文物到台灣

» 「老故宮」之一，高仁俊（著者攝影）

初夏的加州天空，像油彩融化般的湛藍透明。低頭一看，綠意盎然的校園一望無際。位於美國矽谷核心位置的史丹佛大學，校園之美是全美排名前三位。主導故宮文物搬遷到台灣的最高領導人蔣介石，他的日記鉅作存放於此。

» 存放蔣介石日記的史丹佛大學（著者攝影）

蔣介石是如何看待故宮文物的？從著手調查故宮開始，這個疑問一直盤旋在我腦中，是揮之不去的一大「難題」。

為什麼說是「難題」呢？蔣介石有關故宮的發言很少，要推斷蔣介石的想法及本意實在不容易。

將故宮文物運到台灣的決定，是當時的中華民國總統蔣介石下達的。然而，當時蔣介石是否已經想到要政治性地運用這批文物呢？或者他是把文物當作人質，算計著與共產黨和平談判嗎？同時是中華民族，也是人類瑰寶的文物價值，他又是如何考量的？他會不會擔心遭遇海難或是被共軍攻擊，而使得文物永埋海底呢？

更重要的是，就像歷代皇帝靠文物找到權力正統性，蔣介石對於文物也是懷抱著強烈的情感吧？

翻遍所有在台灣的相關文獻，似乎都找不到這些問題的線索。

探詢許多專家也問不到答案。我也問了二〇〇〇至二〇〇四年擔任台北故宮院長的杜正勝，他的回答是：「不知道耶。我也很想知道答案，就任院長後，我翻遍故宮所有的資料，就是找不到。」

遍尋不著蔣介石對故宮的想法

由日本產經新聞社出版的《蔣介石秘錄》中，有關蔣介石搬遷故宮文物這一段是這麼說的，雖然有點長，但還是全文照錄。

對抗日本侵略的準備，不只是軍事問題而已。

特別值得一提的是，集合中華文化精粹的故宮文物要免於戰火，此時須護送至南方。

故宮的文物，當時是在北平。日軍的戰火從熱河擴至華北，文物遭到破壞及失散的危險大增。因此國民政府提早準備決定南遷疏散，從二月六日夜裡悄悄從故宮搬出來，運到南京的朝天宮山洞庫房。兩個月下來運了一萬個木箱。

這個緊急措施其實是非常聰明的。其後，中日戰爭的戰火向全國擴散，直接把木箱分散送往四川省樂山、峨眉等安全地區，以防有所損傷。中日戰爭結束，暫時回到南京，不久後因與共軍戰況惡化，在一九四八年底運送台灣。

故宮文物象徵了中華民族五千年的文化，得以免於戰火，並且躲過戰後共產黨的文化破壞，俾使我們中華民國得以繼承下來。

這篇文章不帶思想或情感，像是一篇官樣文章。我不認為這是蔣介石本人所寫。平鋪直敍，僅淡淡地陳述來龍去脈，像是一篇故宮簡介，實在很難從這裡推斷出完成人類文明史上重要文物大搬遷的男子氣概與熱情。

如此一來，只能直接詢問蔣介石本人，但是他已經不在這個世上，正愁無計可施之時，看到一則新聞〈足不出戶的蔣介石日記開始對外公開〉。

蔣介石是位少見的日記狂。

一九一七年開始寫日記，當年三十歲。歷經赴日留學，剛步入軍旅生涯，並以文武兩道為目標，懷抱夢想，希望當一個理想的領袖人物。蔣介石從寫日記開始定位領袖的修養。

日記是直式的筆記本，每日一頁，使用毛筆蘸墨書寫。有時連空白的地方也寫得滿滿的。週末或月底時，會記錄、反省訂定下週或下月的目標。

蔣介石的字跡潦草，不易閱讀。雖然如此，還是可以看得出來，當狀況安定或心情好的時候，筆跡較為工整。如果戰況不利、被政敵相逼，運筆就顯得粗獷潦草。很多字認不出來，或要花時間慢慢琢磨才認得出來。

蔣介石在一九七二年發生交通意外後無法視行公務，直到一九七五年逝世，這段時間就沒有再寫日記了。但是，在一九一七至一九七二年的五十五年當中，從北伐、中日戰爭、國共內戰等，就算環境非常險惡緊迫，仍持續書寫日記，可以說是一位意志極為堅強、不屈不撓的人。

我認為蔣介石長期以來作為最高領袖的最大能力，就是不屈不撓。一九四九年失去中國大陸時，蔣介石已身心俱疲。但是他不放棄，意志堅定地尋求再起，才因此在台灣成功掌權。對政敵趕盡殺絕，掌握黨內權力，厚植台灣經濟實力，嚴苛鎮壓反國民黨勢力。雖然沒從共產黨手中奪回中國，但在開發獨裁型的安定政權下，將台灣培育成為亞洲四小龍之一，這點值得正面評價。

我讀了蔣介石的日記。

日記是由史丹佛大學胡佛研究所保管。胡佛研究所是以中國近代史的史料研究聞名的機構，保管了宋子文等中國近代重要領袖的日記。在台灣民進黨政權誕生以後，擔心日記安全的蔣家在二〇〇四年時，委託胡佛研究所負責管理及對外公開事宜，為期五十年。

在實現民主化的台灣，蔣家為何會擔心日記安全，外界可能有點難以理解。十年前，民進黨不過是個小型的在野黨竟然奪得政權，令傳統的國民黨領導階層受到巨大的衝擊。陳水扁總統稱蔣介石為「殺人魔王」等攻擊性言論，也是令蔣家感到害怕的原因之一。

胡佛研究所將日記攝製為縮微膠卷分階段公開，二〇〇七年時公開一九四五年前的日記，二〇〇八年七月時公開一九四六至一九五五年間的日記。這段時期蔣介石已決定撤退到台灣並開始行動，應該會有相關的談話。

研究所對於日記的管理極為嚴格，禁止攜帶電腦、攝影器材，不准影印，只能用手抄寫。我在研究所的資料室花了兩週時間，讀完已公開的十年日記。尤其是決定將故宮搬到台灣的一九四八年底那段期間，蔣介石正值危急存亡之秋。日記中蔣介石詳細描述用盡一切手段將黃金運到台灣，然而卻發現沒有任何談到故宮的隻字片語，完全不符原先的期待。

對於蔣介石極少提到故宮這件事，感到懷疑的不只是我。鑽研文化論的拓殖大學井尻千男教授也是，他從藝術及政治觀點研究故宮搬遷台灣的雜誌專論中指出：「沒有跡象顯示蔣介石這個人曾思考過權力正統性的問題，或者特別覺得煩惱……故宮文物搬遷台灣與蔣介石密切相關，但是這個歷史性事業的意義，蔣介石卻完全沒有提過」，並批評蔣介石「政治哲學的匱乏相當明確」。

二〇一一年元旦，我再度有機會訪問胡佛研究所，瀏覽過一九六五年台北故宮設立前後當時的日記，依然沒有發現相關的描述。決定故宮文物搬遷到台灣是在文化史上留下紀錄的一樁事業，實在很難相信指導者的哲學是「匱乏」的。

國共內戰急轉直下的文物命運

既然蔣介石的心理不容易顯現出來，就只能先細察故宮搬遷台灣的決策過程了。

概稱為故宮文物的説法，是泛指文物搬遷台灣，其實這些重要的收藏品來自國立故宮博物院、國立中央博物院、中央研究院歷史語言研究所、中央圖書館等不同的研究單位及保管機關。這意味著不僅是作為單一文化機關的故宮，而是中國整體文物的大搬遷。

一九四五年日本投降後，疏散至四川省的故宮文物在一九四七年時終於回到南京，在計畫「返回故鄉」之前，促使下一次「流轉」的歷史腳步聲卻慢慢接近。

日本離去後，國共內戰開始。兩黨共同崇拜提倡民族主義的孫中山，卻開始互相殘殺中華民族，是件極端諷刺的事情。一九三六年發生西安事變，張學良將軍監禁蔣介石，與周恩來共謀要求蔣介石停止攻擊共產黨，展開了國共合作。但是結果是互不相容的兩個存在，都以消滅對方為前提，於是在一九四六年點燃戰火。

直到一九四七年以前，國民黨因為有美國援助提供的現代武器，所以具有優勢，但是到了一九四八年，毛澤東率領的共產黨奪回東北地方，一舉搶得有利位置。站在國民黨背後的美國，在國共內戰中採取中立的立場，與蔣介石保持距離。另一方面，共產黨持續接受蘇聯提供的資金及武器援助，也是兩者分出勝敗的主要原因。

一九四八年秋天，決一死戰的「淮海戰役」（國民黨稱徐蚌會戰）中，國民黨軍大敗。決定了共產黨占領長江以北的情勢，南京、上海的命運宛如風中殘燭。故宮文物不能繼續放在南京，這樣的討論開始在國民黨政權之間擴散。

根據記載故宮正史的《故宮七十星霜》中所言：「故宮的理事為了文物的安全，頻繁召開會議討論疏散事宜，究竟遷往何處為最上策，一直沒有最後的結論。」剛開始並未提到要去台灣。

當時也有重要人士反對將故宮文物從南京送到偏遠地區避難。那就是當時故宮的理事長、兼任行政院長的翁文灝。翁文灝反對的理由是，那個時候國民黨和共產黨正在進行和談協議，如果遷移文物會對民眾心理造成不良影響，甚至波及和談。

對此，重點放在故宮文物安全的文教官員及故宮專業人員，則是考量萬一狀況不佳，主張盡早搬遷。

當時的中央圖書館館長、後來出任首任台北故宮院長的蔣復璁，在回憶錄裡曾記載這一段話。

某日，蔣復璁到教育部，向教育部次長田培林確認搬遷事宜。田培林如此主張：「中央圖書館在重慶有倉庫，可以去重慶。」但是蔣復璁不贊成：「我的想法和你不同，共產黨出身山區，他們對於高山的狀況比我們更為熟悉。過去對付日本機械化部隊時，將戰場拉到高山地區來作戰是正確的，但是和共產黨在高山對決，我們會變成他們的囊中物。」

其後，蔣復璁向另一位教育部次長杭立武轉達搬遷到「台灣」的想法，蔣復璁記下「杭立武十分贊成」。因此可知，蔣復璁是主張搬遷到台灣的提案人。

然而實際上，事情不是這麼簡單。

當時國民黨軍內部腐敗，士氣低落，蔣介石及其周遭的人似乎已預測到內戰將有悲慘的結局。故宮相關人員開始感到恐慌也是理所當然的事，可想而知他們正在煩惱該撤退到哪裡去。

蔣介石的日記也有記載。此時，他已為節節敗退的預感所苦，考慮撤退地點是最為心碎的事。要像抗日戰爭時，把對手引入四川省或雲南省之類的內陸地區？或者運用海洋，與中國大陸保持相當的距離，選擇有利於防衛的島嶼，如渡海到台灣或是海南島？我認為一九四八年秋天以後，蔣介石和幕僚討論，決定故宮搬遷之時，大致就已決定選擇台灣為撤退地點了。

為什麼故宮文物移至台灣前，國民黨就已經開始把空軍等重要部隊移到台灣了呢？與其說是蔣復璁，不如說是蔣介石自己的意思，要把文物送到台灣。

要求文物避難的聲音愈來愈大，另一方面反對遷移的翁文灝，也同意在南京的國民政府行政院長官邸召開協商會議。

一九四八年十一月十日舉行了決定性的協商會議。

會議有八人參加。包括召集人翁文灝、教育部次長杭立武、中央研究院歷史語言研究所傅斯年、教育部長朱家驊、外交部長王世杰、蔣復璁等人。由杭立武主導會議的進行。

雖然是非正式會議，卻是左右故宮文物命運的重要會議，現場氣氛緊張。經過長時間討論的結果，從故宮文物中選出六百箱運至台灣，杭立武擔任總負責人做出決定。翁文灝雖不贊成，但是依據當時的資料顯示，其他出席者全部贊成。蔣介石也承認這項決議，正式決定搬遷到台灣。

蔣介石扛下戰況惡化的責任，在這個會議的兩個月後，也就是一九四九年一月辭去總統職務。副總統李宗仁與蔣介石兩人不和，李主張國共和解，此時由副總統李宗仁代理總統，國共雙方展開和談。倘若故宮的搬遷晚幾個月決定，恐怕故宮文物不會如此順利運到台灣，因為李宗仁是反對將故宮移到台灣的。

與文物一起渡海的人

決定搬遷以後，立即著手運送文物到台灣的作業。此時戰況已日漸吃緊。文物搬遷的負責人是杭立武。杭立武一方面派部下先到台灣做好準備，另一方面為保全文物安全，希望用軍艦運送，於是開始與海軍溝通交涉，得到軍方的同意。

海軍調來「中鼎艦」，在一九四八年十二月從南京的下關港入港。

文物搬運台灣的計畫本應以極機密方式進行，但是國民黨情報管制鬆散，下關港聚集了想逃難到台灣的民眾。他們任意地登上中鼎艦，在甲板上鋪上棉被，怎麼樣也趕不走。大家為了逃命，意志都非常堅決。

杭立武評估當時的情勢，認為自己身為文官沒辦法處理。於是打電話給海軍司令部參謀長請求協助。這位參謀長與杭立武過去是留學英國的同學。因為參謀長出面聯繫，海軍總司令桂永清趕到下關港。

桂永清說：「這是運送國寶到台灣的船，我會另外準備給各位搭乘的船。」成功說服了民眾，大家終於願意下船。在一九四八年十二月二十二日從下關港出發。

這批裝運的文物分別是故宮博物院的三百二十箱（三千四百零九件）、中央博物院的兩百一十二箱、中央圖書館的六十箱、中央研究院的一百二十箱、外交部的重要文件六十箱，合計七百七十二箱。故宮選出最重要的文物避難，首批都是代表故宮的國寶級珍品。其中多數為之前赴英國展覽的展出品，經過多次搬移，木箱已多處受損，因此故宮和中央博物院均事先支付了相關的木箱維修費用。

外交部的六十箱重要文件，包含了清朝於鴉片戰爭敗給英國、簽署割讓香港的歷史性文件「南京條約」的原文。這些貴重的外交文書目前存放於台灣的中央研究院。

我和搭乘這艘中鼎艦的人物，在台灣見了面。

他是莊靈。是一位攝影家，住在台北近郊關渡的住宅區。父親是莊尚嚴，一九二四年從北京大學畢業後，任職於清室善後委員會。莊尚嚴是從第二年故宮博物院誕生起，便與故宮共生的人物，在故宮文物往南方和西方疏散之際，也常與文物同行。與文物一起到台灣的研究員被稱為「老故宮」，莊尚

» 搭乘中鼎號渡海來台的莊靈
（著者攝影）

嚴隨著故宮文物一起到台灣，在一九六九年時從故宮副院長位子上退休，可稱為守護故宮的正港「老故宮」。

莊靈的出生也與故宮淵源深厚，他出生於一九三八年中國西部貴陽郊外的安順。安順洞窟內保管了當年參加英國展的八十箱精品，莊尚嚴也安家於此。其後文物被運至四川。當時年僅五歲的莊嚴，與軍用車輛一起將文物運出安順，他至今仍殘存著這些記憶。

我也曾經造訪安順。洞窟現在在佛教寺院華嚴寺裡，拜託寺院的人領我進去。洞窟從入口處進去就是很陡的下坡，往陰暗的階梯下去五十階左右的地方，有一個如小學教室般大小的空間。這個地方即使有空襲也很安全吧。裡面濕度很高，但八十箱的東西主要是陶瓷器和玉器，似乎沒什麼大問題。

領我進去的老伯住在寺廟附近，他說：「這裡曾經存放著國寶，我當時還是個小孩，父親在村裡挺有聲望，所以曾經進去過裡面。軍隊的士兵在洞窟入

» 安順洞窟（著者攝影）

口通宵值班站崗。」他帶著懷念的口氣告訴我。

在採訪故宮議題時，經常會遇到像莊靈這樣的人物。

» 領作者進洞窟的老伯（著者攝影）

在台灣，一九四九年前後從中國大陸渡海到台灣的這群人，被稱為「外省人」。這是因為過去台灣是中國的省份之一「台灣省」，意思是從省外來的人。相對於此，台灣出生的人便稱為「本省人」。一九四九年前後，兩百萬的外省人從中國大陸來到台灣。當時的台灣人口約為七百萬人。在一個地區如洪水般湧入將近四分之一以上的「他省」人口，很難估計究竟台灣社會受到的衝擊有多大。

外省人在政治、軍事、經濟層面上獨占要職，形成支配階層，統治著台灣社會。本省人反抗外省人統治，曾在一九四七年發生二二八事件鎮壓民眾的悲劇，成為導火線。在台灣，將本省人和外省人的對立稱為「省籍矛盾」，至今仍是個未解的社會難題。

像莊靈這樣與故宮文物一起到台灣的人都是外省人。每次採訪他們都會得到一致的印象，總覺得他們與本省人有些不同。散發著有教養、優秀的氣質，經濟情況也比較好。但是也有一種特質，似乎在自己和別人之間築著一道看不見的牆。與本省人的親切、無戒心、大剌剌的海洋民族性格有所不同。

在戰後的台灣社會，外省人在多重意義上具有特別的地位。有特權階級的外省人，也有很多較低收入的公務員和軍人。故宮職員到底是公務員的一分子，除了有公務員宿舍等福利外，待遇不是特別的好。在他們身上聞不到「台灣味」，莊靈也給我這樣的感覺。

民進黨人士在進行故宮改革時，曾指出「故宮沒有融入台灣社會」。這樣的說法對於故宮相關的外省人也許不盡公平，他們並沒有錯。要完全融入台灣社會，無論是在文化或是生活習慣上，一定都有困難的地方。

少年莊靈一家隨著第一批的搬遷文物來到台灣。家裡有父母、三個哥哥，莊靈排行老么。小孩央求爸媽，連在南京養的狗也一起帶來了。

父親對家人只說：「我們去台灣。」半點詳情都沒交代。對於全家人來說，就是繼北京、上海、南京、貴州、四川，再回到南京，然後繼續下一站旅程的感覺。「母親也迅速打包行李，感覺就是還要再往哪裡去」。對於陪伴故宮文物的這群人來說，十五年來不斷地在搬家，已經是「家常便飯」。

只是這次不同的是將離開中國大陸。對於還是個孩子的莊靈而言，要理解中國大陸的遼闊，撤退到台灣意味著失去大陸，實在太難。而且當時大人們也相信，短則幾個月，長則幾年，就會回到中國大陸。

文物都裝在木箱裡，用繩固定，蓋上油布以隔絕濕氣。船艙內沒有什麼像樣的房間可以居住，莊靈他們白天就在甲板上看海，夜裡就在裝著文物的木箱上睡覺。冬天的台灣海峽，比起春夏都來得波濤洶湧。中鼎艦的航程期間天候惡劣，船搖晃得厲害。生長於內陸、不習慣船上生活的人很多，經常有人嚴重暈船，一瞬間就「吐到沒東西可吐」。

不只是白天暈船，到了晚上周圍漆黑一片，不安的氣氛在船上蔓延。捆箱

» 台北故宮院長周功鑫帶作者參觀文物運送來台灣時所使用的木箱（著者攝影）

的繩索因為軍艦左右搖晃而嘎嘎作響，吵到無法入眠。

船長當時受海軍司令所託，讓大型犬也上船，這隻大狗也不習慣坐船，「一整晚狗大聲狂吠，真的很吵。」莊靈的母親抵達台灣後，身體狀況整個垮下來。歷經五天四夜以後，船舶抵達台灣北部的基隆港。

父親在這次渡海前曾到過台灣一次，帶了很多蝦米作為伴手禮。莊家對於台灣的印象是：「海產豐富的地方」。莊嚴說：「現在回想起來，我們是政治難民。但是當時認為只會去台灣一陣子，當然不覺得自己是政治難民。大概只有父親瞭解當時的情勢，有所覺悟。母親是不希望和共產黨一塊，這些話是後來才聽母親說的。」

抵達後，父親忙著奔走尋找保管文物的場地，情商鐵路局，借到位於現在國際機場附近桃園縣楊梅的倉庫。全家也搬到楊梅，在倉庫裡和文物一起睡了十天左右。當時是冬天，雖是南國台灣，但是早晚還是很冷。一早燒炭讓倉庫的空氣變暖，吃飯就靠美軍補給的罐頭充飢。豬肉罐頭是「從沒吃過的美味」，莊靈至今仍印象深刻。

在台灣，美國的援助稱「美援」。剛開始採訪時，我聽不懂這個字的意思，每次聽到「美援」兩字，我就感覺到會勾起台灣人的回憶，就像日本人對於同盟國軍最高司令官總司令部（GHQ）的巧克力情懷一樣。

第二批文物也包括世界最大規模的叢書《四庫全書》

第二批到台灣的文物原來也是預定用軍艦運送，但是由於戰況惡化，海軍無法調度軍艦，因此借用商船。借到的船是「海滬輪」，光是等待船到南京就花了一段時間，相關人士都十分焦急。

一九四九年一月三日海滬輪終於進到南京下關港，四日開始搬運文物。故宮博物院有一千六百八十箱、中央博物院有四百八十六箱、中央圖書館有四百六十二箱、中央研究院有八百五十六箱、北平圖書館有十八箱，合計三千五百零二箱。在共計三次的文物搬遷中，這次規模最大。

這次搬運的文物中，也包括清朝乾隆皇帝編纂集結中國古籍的《四庫全書》。《四庫全書》是乾隆皇帝下令，除不利於清朝統治的禁書外，收錄當時中國所有的圖書編纂而成，可說是中國規模最大、也是世界規模最大的叢書。動員四百名學者，參與編撰的人達四千人。光是目錄就有兩百冊，全書有三千六百多冊、十億字，堪稱是怪物的圖書。

歷史為誰所有，這樣的命題經常在中國史上受到矚目。歷史為勝利者所有，下一個勝利者再改寫新的歷史。雖然如此，我覺得能留下像司馬遷《史記》如此佳作的史書，也是中國內涵的深度。

《四庫全書》製作了七套正本和一套副本，存放於中國各地。中國的歷史是用文字傳承的。中國人心中認為只有文字最能體現中華文明。集文字紀錄之大成的《四庫全書》，其命運也同時被捲入中國近代史的悲劇中。

正本各以其所在地之書庫名稱為名，包括北京紫禁城的「文淵閣版」、圓明園的「文源閣版」、避暑勝地熱河離宮的「文津閣版」、清朝古城瀋陽離宮的「文溯閣版」、鎮江的「文宗閣版」、揚州的「文匯閣版」、南方文化中心杭州的「文瀾閣版」。

其中文源閣版在一八六〇年英法聯軍發動攻擊時，與圓明園一起被燒掉了。鎮江的文宗閣版在鴉片戰爭中損壞了一部分，一八五三年太平天國之亂時完全損毀。文匯閣版也在一八五四年時遭到破壞，文瀾閣版也有部分損壞。剩下的三部則完整保存下來，北京圖書館保管文津閣版；甘肅省圖書館保管文溯閣版，而台北故宮則保管當時船運至台灣的文淵閣版。

我也與搭乘第二班船來台的人物在台北見面。

故宮職員高仁俊，他是少數見證故宮搬遷仍在世的人，經常接受媒體採訪。二〇〇九年採訪時，他已高齡八十七歲，早就退休了，但幾乎每星期都到故宮，和以前的同事一起抽菸聊天，感覺就是一輩子與故宮相伴的人生晚年寫照。

出生於四川省的高仁俊是四川省藝專畢業的，原來任職於中央博物院，和文物一起來到台灣。跟許多故宮職員一樣，都認為「半年後應該會回去」，但事與願違。

「到台灣十年後，仍沒想到下半輩子會在台灣過。所有的故宮職員都相信，總會和文物一起回到中國的。現在已經不這麼想了，想也沒意義。讓時間決定一切吧。時代會怎麼轉變，我們也不知道。雖然如此，保護文物、保存中華文化，這份工作真的很有意義。」

高仁俊到台灣時才二十出頭，當初一起到台灣、現在還在世的，只剩高仁俊一人。

高仁俊和故宮文物一起搬到台中，後來在台北故宮做到退休。人生的歷程與故宮休戚與共。

高仁俊提到一些有趣的往事，內容包括蔣介石到民進黨時期的杜正勝院長。

「台北故宮剛開館的時候，蔣總統每個禮拜都過來一次。他不是來看東西，就是習慣來看一下，蔣夫人也一起來。夫人喜歡畫，她都是來看畫。當時傳言說蔣夫人把故宮文物運到圓山飯店，這是不可能的。庫房都有好幾層的關卡，連院長副院長都沒有鑰匙。杜正勝是個討厭的傢伙。他對故宮說了一些過分的話，人事方面也有問題，當然也有他的長處……政治色彩強，偏向民進黨。但是他不是專家，不會過問內部管理的事情。就是把蔣總統的銅像撤掉了。」

高仁俊笑著說：「保護文物就是保存中華文化，這是一份很有意義的工作，比較遺憾的就是薪水太少。」

第三次文物搬遷計畫在一九四九年一月下旬進行，但是下關港的碼頭工人以農曆年休假為理由，不願搬運文物。在支付特別津貼後，碼頭工人才同意。這次的船是「崑崙號」，民眾聽到有船要去台灣，便蜂擁而至港口。這次拒絕不了，多數的民眾已擠在船艙。再者，船上已堆滿政府相關的物資，原本預定要運送的兩千箱文物也進不去。在甲板、餐廳都堆滿的情況下，裝進故宮博物院的九百七十二箱、中央博物院的一百五十箱、中央圖書館的一百二十二箱，共計一千二百四十四箱，只運了預定的六成。

一九四九年一月三十日出發的崑崙號，為天候不佳所苦，在中國南部廣州靠港修船，原訂三天的行程，花了二十天才抵達基隆港。

那志良也搭上這艘船。那志良等人抵達港口等待上岸時，許多賣香蕉的小船靠過來。香蕉的價格比在中國便宜許多，因為也可用中國的錢幣支付，船上的人爭相買了香蕉。

基隆港是三面層巒環抱的天然良港，天晴的時候，山的綠色和海的藍色映照在眼前，非常漂亮。我也曾多次到此採訪，認為這是台灣最美的港口。對於從中國與文物一道來台的人們而言，基隆港的美麗風景和物美價廉的香蕉，也許多少緩和了將在未知土地上生活的不安。

那志良在回憶錄裡這麼寫著：「聽說台灣苦極了，只能吃香蕉皮，這究竟是怎麼回事?」

是「造反者」?還是英雄?

本來說要分七批運送到台灣,結果運三批就結束了。對國民黨政權而言,戰況急速惡化,一九四九年春天時,戰線整個瓦解,已經不是搬運文物的好時機了。

到了這個時期,故宮內部出現了「造反者」,就是故宮院長馬衡這號人物。杭立武等人以電報指示人在北京的馬衡,要他到南京,同時要求他從還留在北京的文物中選出珍品,空運到南京來,之後要送到台灣去。但是馬衡以自己患有狹心症為由,顧左右而言他,不願前往南京,雖然做好珍品的目錄呈送位於南京的行政院,但是卻對職員說安全第一,不急著打包裝箱。

此外在首批文物搬遷時,馬衡知道是由他在北京大學當教授時教過的學生莊尚嚴負責護送,還曾經寫信給莊尚嚴:「不要接下這個工作,不然我就跟你絕交!」一九四八年底,北京戰況慘烈,於是把故宮所有對外聯繫的門全部封閉,不准裝箱的珍品外流。

馬衡以自己身體健康欠佳為由，繼續逃避不去南京，並在一九四九年一月在北京落入共產黨手中。

從國民黨政權的角度看，馬衡的所作所為就等同於背叛，在《故宮七十星霜》中以「脅迫莊尚嚴」、「消極地妨害搬運」等用詞，嚴厲批評馬衡。

然而從中國共產黨的角度來看卻大不相同，因為馬衡的英雄行為，把文物從蔣介石的魔掌中救出。

北京故宮出版的《故宮博物院八十年》，該書以編年史方式介紹故宮的歷史，內容稱讚了馬衡「以文物安全為託詞推延時間，巧妙地堅決抵抗國民黨政府指示文物運往南京，中挫北京故宮文物運台」。歷史評價隨著立場不同而完全相反。

被評價具有「守護」文物的功績的馬衡，也在新中國成立以後到一九五四年間，一直穩坐北京故宮院長的位子，隔年一九五五年時過世。

分三次海運到台灣的故宮文物共計兩千九百七十二箱，包括陶瓷器及書畫共一千四百三十四箱、圖書一千三百三十四箱、宮中文書檔案兩百零四箱。與北京運出時相比較，大約減少八成，但是那志良等專家挑選的珍品大致都在。

現在文物搬遷到台灣已經超過六十年，渡海的文物不曾再踏上中國大陸的土地。當時沒有一個人想像得到會是這樣的命運。

除了三班的船運以外，還有其他文物運到台灣。總結這些文物搬遷台灣的故事，有段逸事值得一提。

張大千是著名的畫家，一八九九年出生於四川省，戰後渡海到台灣，相當活躍。國畫是他的本業，他也曾到日本京都學習染織，是個多才多藝的人，以極其精巧技術製作假畫的功力也很有名。在中國繪畫界是個異數，才能高超。

他從一九四〇年起，曾花了三年臨摹敦煌壁畫，發表過說得上是敦煌臨摹壁畫完成版的作品。

杭立武完成了故宮文物運送台灣的大事，從教育部次長升為教育部長。一九四九年十二月在四川省成都的機場，國民黨政權的最後一班飛機即將起飛飛往台灣。此時總統蔣介石和夫人宋美齡等人都已到了台灣。這班飛機上除了杭立武，還有行政院長閻錫山、政務委員陳立夫等重要官員，正要起飛前，張大千搭車飛奔來到機場。

張大千抱著數百張敦煌壁畫，說明這些壁畫的繪畫價值，希望運到台灣，當作國家貴重文物予以保存。

飛機已滿載人員和行李，機長說已經沒有空間可以再放張大千的畫了。張大千氣勢凌人，杭立武沒時間煩惱猶豫，決定捨下自己的三件大行李箱。究竟在行李箱中裝有多麼貴重的東西，杭立武沒有留下任何說明。杭立武捨下自己的行李箱，但向張大千提出條件：「這些畫到台灣以後要捐給政府。」

張大千允諾，並在名片上立字據作為約定。張大千後來移居香港，也在歐美相當活躍，一九七八年定居台灣，一九八三年過世。張大千用三件行李箱換來帶到台灣的敦煌壁畫，現在收藏在台北故宮。

龐大的文物運到台灣，中文說的「一甲子」六十年過去了，文物至今仍在台灣。國民黨反攻大陸失敗，共產黨的中國也沒能成功統一台灣。因此故宮博物院分別在中國和台灣兩地誕生。

第五章
兩個故宮的開端

» 已成荒地的北溝倉庫遺址（著者攝影）

在氣溫超過三十度的中國古都南京，揮汗如雨下，我彷彿置身台北故宮。二〇〇八年五月二十七日，我來到了中國革命之父孫文的陵墓「中山陵」。

「中山」源自於孫文的別名——孫中山。在中華世界裡，孫中山比孫文來得通用。中國廣東省的中山大學是因為孫中山而命名，台灣所有的城鎮幾乎都有的「中山路」，也與孫中山相關。中國人的名字有點複雜，孫文，字「逸仙」，號「中山」。在日本，較常使用「文」，不知從何時開始都稱他為孫文。歐美多稱他為孫逸仙（**Sun Yat-sen**）。孫文是清朝通緝的革命家，因此曾使用過許多不同的名字。

中山陵就在我眼前數公尺處，台灣的國民黨主席吳伯雄帶著大陣仗人馬，有點福態的身軀搖搖晃晃的往前徐行。

中山陵建在小山丘上，還要爬三百九十二層階梯，吳伯雄的心臟有問題，能否登上中山陵訪問有些令人擔心。但是就在幾天前，國民黨剛奪回失去八年的政權，這是在自己的指揮操盤下獲得勝利，吳伯雄心情極好，還是完成了幾乎像爬山的中山陵訪問行程。

吳伯雄在政權交替之後立即訪中，令人預測到民進黨政權時期冷卻的兩岸關係即將有所變化。包括我在內的駐台媒體，都參加了這次的行程。

在政治體制互異的中國與台灣，孫文是兩岸少數共同擁有正面歷史評價的人物之一。國民黨政權交替後，台灣重量級人物首度訪中地點，被選擇在南京中山陵，絕非偶然。

但是我關心的不只是這些政治上的動作。在我的腦海中，想起台灣學者蔣伯欣的話，他告訴我台北故宮和南京中山陵之間，存在著「建築上的相似性」。

為何稱為「中山博物院」？

台灣的年輕學者蔣伯欣，專攻藝術史，在台南藝術大學裡當助理教授。我過去調查故宮的政治角色時，對於蔣伯欣的論文〈「國寶」之旅〉很感興趣，特別到台南去見他。

論文內容主要是調查曾為清宮收藏品的故宮文物，在中國近代史上因為政治而被定義為「國寶」的過程，檢證了台北故宮在設計、名稱等方面，投射了中國革命的象徵性人物孫文的身影。和蔣伯欣詳談之後，瞭解到中山陵和台北故宮在外觀上極為類似。

蔣伯欣是蔣渭水的曾孫。在日本統治時代的台灣，蔣渭水主導爭取台灣人權利，是社會運動領袖，廣受尊敬。馬英九總統也以他為楷模，每年都出席蔣渭水逝世紀念日的活動。

曾經去過台北故宮的人應該會浮現這樣的景象吧。到達博物院後，入口是白色大門的「牌樓」，接著要經過一段迴廊，參觀者一面仰望前方的本館，一面往前進。本館是典型的中國宮殿式建築，對於前方深處潛藏的權力象徵，令人心生敬畏。

台北故宮是文化設施，基本上與權力機構互不相干，但建築卻興建得很像中山陵，原因何在？

對於我的疑問，蔣伯欣是這樣回答的：「故宮的國寶和國民黨政權一樣，都在中國大陸各地流浪移動，好不容易最後到了台灣。在那個博物院，不得不融入中華民族的榮耀、對大陸的鄉愁和戰爭的歷史記憶。」

同時，孫文是完成中國革命的偉大人物，成為文物的守護神。應該是把這樣的意象圖案，融合於台北故宮的建築中吧。

在第一章已提到孫文銅像的現況，但台北故宮和孫文的關係匪淺，還有一些其他證據。

台北故宮的正式名稱是「國立故宮博物院」，但如果仔細注意博物院正面，可以看到「中山博物院」的招牌。事實上，建築物的名稱是中山博物院，行政組織「國立故宮博物院」借用中山博物院的建築物，可說是一種不可思議的狀況。

蔣介石到興建中的台北故宮視察時，好像曾提到：「何不用孫中山的名字？」當時是蔣介石主導的威權主義，國民黨一黨獨裁的最盛期，不可能出現不同的聲音。本質上和孫文沒有關係的台北故宮名稱，結果就變成「中山博物院」。

故宮的開館典禮也選在孫文的生日，紀念孫文百年冥誕的一九六五年十一月十二日。依據資料顯示，當時故宮最高層的博物院主任委員王雲五說：「有一天必會實現反攻大陸，這裡所藏故宮的文物應該會遷回大陸故宮紫禁城。但是此一建築將被保存下來，用來永遠紀念國父。」

戰後在台灣擔任教育部長的王世杰也說：「回到中國時，故宮文物也會回到中國，把複製品留在台灣。」

光從這些發言來看，放在台北故宮的文物要回到中國，毫無疑問是當時台灣的既定政策。故宮文物回到大陸時，故宮博物院將從台灣消失，名稱就應該會改成中山博物院。

中國的現代是始於一九一一年到隔年發起的辛亥革命。完成辛亥革命的最大功臣是孫文。孫文是正統中華的繼承者，繼受孫文精神和傳統的，不是大陸的中華人民共和國，而是在台灣的中華民國……

我總覺得對於政治權威正統性極端敏感的蔣介石，他按照這個邏輯把故宮文物作為正統性的文化證明，是想繼受孫文的人文精神，好積累歷史證明，並試圖再三強化自己的權威。

台北故宮建築與當時的國際情勢

台北故宮在一九六五年興建於台北郊外的外雙溪。因為台北氣候潮溼並不適合保管文物，當初選定地點時，也曾有反對意見。但是，再考量為了運用故宮這個一流觀光景點向國際社會宣傳，大家覺得若選在台北以外的場地，將不利於聚集觀光客，因此還是在台北興建。

在這之前，故宮文物被保管於台灣中部——台中縣霧峰鄉的北溝。當時台灣還沒有故宮博物院。北溝雖有陳列室，但是基本上妥善保管的目的，是為了準備返回大陸之日。隨著台北故宮的落成，從一九三三年開始到處流浪旅行的故宮文物，雖說周遭全然認為一切只是「暫時」，但總算先有了安居的場所。

興建台北故宮時的台灣情勢，面臨了一個重要的轉捩點。

控制中國大陸的共產黨當時勢如破竹，不願放過一九四九年撤退台灣的國民黨政權，一心仍想要解放台灣。而美國杜魯門政權一九五〇年一月又祭出不介入台灣海峽的政策，蔣介石的國民黨政權瓦解的命運，只是時間早晚的問題而已。

歷史的偶然，有時候向弱者伸出了援手。

就在美國總統杜魯門發表了不介入宣言半年後，冷戰期間與台灣海峽並列為東亞的另一個火種——朝鮮半島著火了，爆發了韓戰。杜魯門發表聲明：「共軍占領台灣海峽將威脅太平洋地區安全，也對於該地區從事合法必要活動的美軍造成直接影響」，於是美國派出第七艦隊巡防台灣海峽，致使中國不可能攻擊台灣，形成兩岸分裂的架構。

一九五〇年代中台均以征服對方為目標，是個積極展開軍事攻擊或地下工作的時期。美國也透過軍事顧問團和中央情報局（CIA），間接支援台灣反攻大陸。中國也曾猛烈攻擊台灣實質統治的中國福建省沿岸的金門島和馬祖島。

到了一九六〇年代，美蘇冷戰對立持續加深，美中關係也有微妙改善的徵兆。美國否定台灣反攻大陸的態度漸強，中國方面也將解放台灣定位為「長期課題」。兩岸關係陷入膠著，蔣介石實現再次統一中國大陸的可能性逐漸降低。

在這段期間，蔣介石著手興建博物館安置故宮文物。

從大陸搬遷來台的故宮和中央博物院文物，先被運到台中市區的倉庫，因為安全問題，因此又被搬到更安全、人煙更稀少的地方興建保管設施。

新的倉庫位於台中縣霧峰鄉北溝，移入文物後成立「聯合管理處」。後來又設置提供民眾參觀的陳列室，也挖掘山洞存放最珍貴的文物以躲避空襲。有趣的是，這個陳列室是用美國政府亞洲基金會的資金興建的，也就是所謂的政府開發援助（ODA）。亞洲基金會也支援興建台北故宮。

故宮文物存放在北溝期間，也進行了重要的海外展覽。一九六一年到美國五大都市巡迴展。去過華盛頓國家美術館、紐約大都會博物館、波士頓美術館、芝加哥美術館及舊金山笛洋美術館。這是繼一九三五年英國倫敦展以來，最大規模的海外展覽，對於台灣的蔣介石政權而言，當時是一項舉國注目的活動。

為了準備赴美展覽，台灣方面由外交部長葉公超負責與美國交涉，而負責運送故宮文物的則是前教育部長杭立武。

當時葉公超是這樣說明美國展的意義：「總統和我殷切期盼實現這次的計畫，不只是回應美國美術館及鑑定專家的期望，也是為了讓美國人民對於中國

» 當時赴美參展的箱子，現仍保存在故宮裡（著者攝影）

的堂堂歷史具有真正的見地。透過展覽加深他們的印象，不是中共，我們才是中國偉大文化遺產的保護者。向美國人民的宣傳活動，具有巨大的價值。」

基本上「足不出戶」的故宮文物冒險到海外展覽，並非為了美學藝術的目的，而是強烈存在著「對美國人民的宣傳活動」的政治目的，負責海外展覽的相關負責人所言坦率而重要。

在美國，主要是傳統上與國民黨握有人脈管道的保守派在背後支持故宮赴美展。《時代雜誌》及《生活雜誌》的創刊人亨利．魯斯（Henry Luce）是代表性人物，魯斯個人更與蔣介石夫妻交情甚篤。

對此，中國反應激烈。

根據一九五五年的《人民日報》，中國各地博物館職員發表了聯合聲明，強烈指責：「美國以長期借出的方式，要求蔣介石集團（兩岸對立時代中國對於蔣介石政權的稱呼）從台灣運出文物。蔣介石集團運到台灣的文物全都是中國人民的財產，必須歸還。」

由於美國國務院考量美國展影響對中關係而態度消極，使得準備事宜大幅延宕，一九六〇年美國政府和台灣簽訂文物到美國展覽的協議，第二年又花了將近一年才出展。

保險的情形也與英國展時相同，文物價值過高，所以沒有保險公司願意具保，從台灣到美國的搬運作業由第七艦隊擔綱，這是最高層級的待遇。中國更是執拗地展開一系列「蔣介石集團幫助美國政府進行文物掠奪」的批判活動。因為中國懷疑蔣介石把文物賣給美國，用以購買武器。

現在已經荒廢的北溝倉庫遺址

二〇〇九年年底時，我為了採訪故宮文物相關地點，來到北溝倉庫的遺址。文物完整移轉至台北故宮後，這塊地由公營電影公司興建了影城，現在連當地居民都很少人知道這裡曾是故宮的倉庫。搭計程車跟司機說要去「影城的那個地方」，就會載到這裡。

雜草茂密，好不容易才找到山洞。北溝十分接近引發一九九九年台灣大地震的「車籠埔斷層」，大地震時土石崩落和震垮的山洞外壁，完全堵住山洞入口。影城在大地震時損毀，也因為電影工業夕陽化，影城一直沒有重建，曾經守護中華最高文化的土地，現在是荒蕪一片。

一九五〇至一九六五年間文物放置於北溝，當時並無人指出這裡是有可能引發地震的活斷層。我站在山洞前稍微駐足思考：「如果當時文物放在這裡，發生大地震的話……」陶瓷器和書畫都將遭到毀滅，把文物從中國和世界運到台灣的蔣介石政權應該會受到嚴厲的指責，甚至這件事還會變成導火線，成為兩岸糾紛的開端。

» 北溝倉庫遺址的山洞（著者攝影）

故宮職員說的「古物有靈」，果然故宮文物是受到保護的，沒遇到地震也應該是受到庇佑的關係吧。

探究設計者的秘辛

台北故宮的興建是由國民黨大老、前行政院院長陳誠提起，一九六〇年時在行政院設置籌備設立故宮的委員會，以台灣方面以及美國的亞洲基金會共同出資興建，美方支援了大約三千兩百萬台幣的借款。

故宮的總經費及台灣方面的支出明細，迄今仍有許多不清楚的地方。故宮表示當時的原始資料「無法確認是銷毀了，或放在何處」，因此無法對外公布。

故宮正史《故宮七十星霜》也沒詳述興建狀況的細節。僅說明當時放置於台中北溝的陳列室場地狹小，交通班次很少。國內外觀光客要去參觀相當不便，因此剛開始曾討論擴大陳列室，但後來更改計畫，決定興建博物館。

台北故宮的興建還有幾項不可思議的事情。

其一是興建工程大幅延宕。台北故宮原來應在一九六三年完成。《故宮七十星霜》記載一九六二年台灣遭到葛樂禮颱風侵襲因此財政困難，以致工程一度中斷。

然而一九六二年行政院下令暫停施工，命令上說：「此時為積極戰備階段，無急迫性的工程必須停止。」在這份行政院令上，停工理由除了「積極戰備階段」之外，還列舉傳染病、風災、水災等理由說明財政困窘，雖與《故宮七十星霜》的敍述並不完全矛盾，但是「積極戰備階段」這幾個字令人側目。因為這意味著備戰狀態。

二〇一〇年春天我正在尋找答案時，出席了在北海道大學由日本台灣學會召開的學術會議，找到了一條線索。

東京大學研究兩岸關係近代史的第一人松田康博助教授，發表了最新研究內容文章〈中台關係（一九五八－一九六五〉。一九六〇年代初期毛澤東發動大躍進政策，中國國內經濟大受打擊，陷入不安定的狀態時，正是蔣介石趁機強化反攻大陸計畫進行武裝襲擊的時期。

當時中國開發核能在國際間廣為人知，可能蔣介石正憂心要在中國擁核之前發動攻擊。依據松田教授所說，台灣在一九六三年起使用小船，多次在福建沿海展開突擊戰，全被中國擊退，反攻大陸的幼苗被連根拔起。蔣介石為圖「最後一搏」，在台擴充軍事預算，因此延宕興建故宮的計畫是有可能的。

故宮興建的過程還有一大疑點。

「台北故宮的設計，有段不為人知的故事。」

告訴我這句話的，不是台灣人，而是中國人。

二〇〇八年冬天的北京，當時我為了準備連載故宮搬遷台灣六十年企畫的新聞報導，到中國大陸各地採訪。中國在二〇〇九年一月時電視播放大型紀錄片《台北故宮》，創下高收視率。我的消息來源就是這部紀錄片的編劇胡驍。

當知道中國投入製作台北故宮專輯節目時，我想知道其背景意圖，因此與胡驍取得聯繫。胡驍以前是跑文化新聞方面的記者，和我的年齡相近，談話很投緣，之後兩人交情不錯，經常聯絡。

已完成節目製作的胡驍告訴我：「因為規定，有關播放內容不能對外洩漏，但是，你身為記者，有一件事希望你能去調查一下。」因而告訴我這段曲折的故事。

胡驍的製作團隊到台北採訪時，與建築師蘇澤見面，他是台北故宮的設計者，也是建築師黃寶瑜的弟子，希望能看到當初的設計圖。蘇澤拿出設計圖向胡驍等人一邊說明台北故宮的設計概念，並一邊提到：「其實還有一個『夢幻』的設計案，而且當時是選中你們那個故宮設計案的。」

胡驍因為時間因素不允許再詳細詢問，節目中也僅止於介紹蘇澤的談話。至於最後為何排除了那個設計案、決定採用黃寶瑜的設計等等，就不得而知了。

故宮正史《故宮七十星霜》裡，相關文字僅有一行：「新館是宮殿形式的四樓建築物，由大莊建築事務所黃寶瑜建築師設計。」

翻閱了當時台灣的報紙《聯合報》、《中國時報》，完全沒有變更設計的相關報導。

我在台北故宮內的圖書館，找到《故宮季刊》的舊雜誌期刊，一九六六年創刊號有篇作者為黃寶瑜的文章：〈中山博物院之建築〉。

他談到故宮建築用地的選定、對於室內空間的想法、採光的方式等等，是篇很有趣的文章，但是對於自己擔任設計師的重點，卻一字不提。

我雖試著與蘇澤聯繫，但是他聲稱：「身體不好，沒辦法接受採訪」。在尋找各種線索、訪問不同的台灣建築相關人士過程當中，從某位資深設計師口中知道了「夢幻設計」的設計者，是一位名叫王大閎的建築師。

當聽到王大閎的名字時，我震懾不已。王大閎是戰後台灣建築界的代表性人物，在台灣是無人不知、無人不曉的名建築師。會把這號人物的設計替換掉，一定出現了非比尋常的狀況。

王大閎的代表作是表彰孫文的「國父紀念館」。

國父紀念館，與位於台北市中心西邊，靠近總統府的中正紀念堂並駕齊驅，都是代表台灣的大型建築物。雖然我立刻申請採訪，但是王大閎已年逾九十，接受採訪恐有困難，家人說：「無法接受採訪」。

就在一愁莫展之際，王大閎的家人提供了意想不到的協助：「我想到了，如果是興建台北故宮的事情，幾年前有一位建築學者曾經來採訪過。」這個人叫徐明松，我調查了聯絡方式，隨即去拜訪他。

徐明松是在台灣銘傳大學教建築史的學者，也是位建築師，曾經在王大閎門下學建築。徐明松的自宅兼工作室，竟然就位在離台北故宮五分鐘車程的幽靜山腳下，從窗戶看出去就是故宮後方連綿的山脈。

徐明松提到台北故宮興建的背景及過程，在建築與權力、文物與政治等常見的命題下，內容饒富趣味。

以下是徐明松所說的當年狀況。

台灣在行政院下設立故宮管理委員會，由王世杰擔任主任委員。王世杰是南京國民政府時期中央研究院的第四任院長，前任院長是在日本也很知名的胡適。王世杰採取當時在博物館設計很少見的競圖方式，但是競圖並非完全公開透明，是由委員會指定五位建築師設計參與競賽。

除了王大閎，這五人尚包括台灣名建築師吳文喜，以及後來設計中正紀念堂的楊卓成，可說是集合當時的第一流人才。另外一方面，審查委員則有黃寶瑜加入。

依據徐明松蒐集到的相關人士的證詞，審查委員們討論的結果，認為王大閎的設計最優。王世杰主任委員為求慎重起見，派他的女兒王秋華到紐約，拿設計圖徵詢美國一流建築師們的意見。結果他們也是對王大閎的提案評價最

» 模型側面（林健成藝術工作室製作，徐明松掃描提供）

» 模型正面俯視（林健成藝術工作室製作，徐明松掃描提供）

» 模型正面（林健成藝術工作室製作，徐明松掃描提供）

» 透視（徐明松掃描提供）

高，認定為第一名。

徐明松把王大閎的設計案影本拿給我看，這是王大閎託付給徐明松：「希望留下紀錄」。整體外觀是玻璃帷幕，建築造型相當柔和，開放式的入口，融合周圍的自然森林環境，體現了無國籍的現代建築概念。

有點相近於紐約的大都會博物館，也許與王大閎年輕時留學哈佛大學念建築有關，在當時是極為先進的建築，換言之，很難想像這種挑戰性的設計會被接受。

雖然委員會決定採用王大閎的設計，但是國民黨一黨獨裁下，萬事都由他決定的權力者蔣介石表示不滿，他認為：「過於欠缺中華元素。」但是，並無史料可以客觀確認蔣介石的態度，充其量就是當時相關人士的傳聞。可以確定的是發包單位要求大幅修正設計稿。

王大閎對於修正的要求，用沉默表示抗議。即使徐明松問他，王大閎也絕口不提故宮設計案的決定過程。徐明松這麼描述他老師的為人：「對於設計，他真的什麼都沒説。他認為完成的樣子就代表了一切。」

審酌王大閎設計叫停的情勢，黃寶瑜開始有了下一步行動。

黃寶瑜設計的故宮是「中國宮殿形式」，浮現出來的就是中華、權威、權力、神秘、服從等，與王大閎的設計形成對比。

依據徐明松的調查，王大閎的設計觸礁後，黃寶瑜由自己的建築師事務所完成新的設計圖，宣稱是「一個修正案」。黃寶瑜以審查委員的身分把設計案交給王世杰，王世杰把黃寶瑜的設計圖拿給蔣介石看，蔣介石一看就喜歡，說：「這個好。」

當初，黃寶瑜表面上對外說：「王大閎參考我的設計再畫一次就好了。」但是設計理念完全不同，王大閎不可能接受，事實上，黃寶瑜完全是企圖「橫刀奪愛」。王大閎主動撤案，黃寶瑜名義上和實質上都是設計者。

蔣介石為何沒有接受王大閎的設計，而且為何非黃寶瑜的設計不可呢？如果瞭解權力等同於蔣介石對故宮文物的要求的話，答案就呼之欲出了。

把故宮文物運到台灣，這是蔣介石為了強化中華民國體制到台灣的正統性。「中華民國」是中華之國，故宮文物就是這個中華文化的象徵，作為容器的博物館，也必須綻放中華光輝。另一方面，對於在歐美學建築的王大閎而言，在歐美社會，藝術和權力是分離的，文化沒有必要背負政治，博物館必須為使用者所用，促進提升使用者鑑賞藝術品的心情和心理的效果，才是博物館的最大功能。

但是王大閎忘了台北故宮是體現中華的權力裝置，況且當時台灣還在準備反攻大陸，展開中華文化復興運動，以便說明台灣才是中華文明的繼承者。台灣政治上的氣氛是不容許故宮脫離中華風格的。

無論是王大閎或是黃寶瑜，都沒有誰對誰錯的問題。王大閎帶來了當時台灣仍難以接受的設計，可說是操之過急。蔣介石等國民黨領導幹部多半是生於清朝末年，接受的是封建的中國傳統教育。

黃寶瑜擔任審查委員，奪取設計的舉動，從建築師的倫理來看，不值得讚揚。但是黃寶瑜對於清朝建築，尤其是宮殿式的建築，他也是一流的研究者。即使以今天的標準來看，台北故宮的建築也不能說是特別失敗的作品。建築師能否如願完成作品，不僅是實力問題，也要靠運氣。

從結果論來看，王大閎在故宮案拒絕妥協，就「誰都想在歷史建築留名」的這件事上，他是失敗了。但在一九六五年設計國父紀念館的競圖上，王大閎的設計獲選為最優。這次發包的蔣介石政權，還是認為「中華的要素不足」，要求王大閎在設計上部分修正。

這次王大閎做了和過去故宮案不同的決定。為了符合蔣介石的期望，在屋頂和天井等地方修正為中華風格，被選為國父紀念館的正式設計。

王大閎這個人對於過去自己的設計都保持沉默，當時對兩大競圖有何心境變化，不得而知。是要拒絕妥協追求理想以致失去展現自我的機會，還是做些讓步但讓設計優先被採用，孰者為先，對於企業建築和公共建築相關的建築師而言，這是永遠的兩難課題吧。

台灣的台北故宮和國父紀念館的設計，建築上凸顯出「權力」、「國家意識的表現」等重要命題，建築師該如何行動，給了我們重大的啟示，在此我希望保留決定設計案過程的完整紀錄。

此外，蔣介石希望從故宮尋求什麼，也從王大閎的挫敗中得到重大線索。蔣介石在包含故宮的文化上，要求體現中華。其原因在於正統統治中國的是「中華民國」，不是共產黨的中華人民共和國，這是必須向海內外宣揚的迫切事情。

中華文化復興運動的浪潮中

在戰後台灣史上，台北故宮落成的一九六五年，可說是相當精采的一年。一九六四年中國和法國建交，一九六五年美國停止對台援助。在客觀的國際情勢上，國民黨政權被逼到必須停止反攻大陸的狀態。在口號上強調「三分軍事、七分政治」，事實上政治宣傳重點則從「反攻大陸」轉為「建設台灣」。武裝反攻已經行不通，一九六五年蔣介石展開中華文化復興運動，從武轉文。擔綱中華文化宣傳核心的就是同年落成的台北故宮。

台北故宮發行的學術刊物《故宮季刊》第一期，首任院長蔣復璁在其〈中華文化復興的要點〉一文中提到：「我中華文化光華燦爛，已經綿延了五千年，不幸遭受了國際共產主義匪徒的侵略，致山河變色，而我民族文化頓受損害。最近紅衛兵又在大陸作亂，鬧文化大革命，迫害同胞，傷殘文化。我們為保衛民族文化，要將之發揚光大，以謀中華文化的復興。」

此外，台灣重要民族學者何聯奎在一九七一年時，以〈故宮博物院的特質〉為題，撰文說明故宮特色：「故宮的收藏品是中華民國自己固有傳統文化培育出的文物，世界各國沒有可以與我相提並論的博物館。」何聯奎的根據是列舉了各國的藝術家、專家對台北故宮的讚賞，其中之一是一九六六年日本出版業訪問團訪台時，作家中山正男的贊許：「中華民國蔣總統不只是世界的偉人之一，保護故宮及中央兩個博物館三十多萬件、無價的中國歷史文物和藝術品，對於世界的文化而言，是不朽的功績。」

日本人積極寄贈文物

我從舊文獻中，發現跟開館後的台北故宮相關、很有意思的資料。

這是一九六四至一九六七年間，台北故宮接受外部寄贈的文物中，有一份寄贈文物的清單，上面列有多位日本人的名字：「梅原末治先生鐵鏡二件」、「梅原末治先生玻璃璧玉一件、玻璃珠一件」、「坂本郎先生唐三彩罐一件、唐三彩馬一件」、「小山富士夫先生影青瓷一件」、「梅原末治先生唐三彩文官人偶一件」、「大野萬里先生唐三彩文官人偶一件」、「久志卓真先生越窯印鑑盒一件」、「大須賀選先生銅畫馬一件」、「鹿內信隆先生銅畫一件」、「平野蘭舟先生蘭亭序（複製品）一幅」。

梅原末治是日本考古學者的代表性人物，可說是日本考古學的始祖。「坂本郎」則是掉了一字，應該是「不言堂」的老闆坂本五郎，他是日本首屈一指的中國藝術品收藏家。小山富士夫也是研究中國陶瓷的世界級人物。鹿內信隆是富士產經集團的經營者。

這些日本赫赫有名的人物都曾寄贈文物予故宮。

坂本五郎目前住在神奈川湯河原，過著自在的晚年生活，曾在他的住家接受過我專訪一次。因為小山富士夫的介紹，坂本五郎訪問台北故宮，得知台北故宮的宋代文物收藏豐富，但是宋代以前的文物就乏善可陳。坂本五郎決定將唐三彩「金加彩唐馬俑」寄贈故宮，這是當時台北故宮所沒有的珍品。馬俑從機場運送到故宮時，還有警車開道，令人覺得台灣方面是舉「國」感謝。我在台北故宮的圖書館發現坂本五郎的名字時，想起他在接受專訪時欣喜地說到唐三彩的故事。文件清單中「唐三彩馬一件」，應該就是坂本五郎寄贈故宮的馬雕像吧。

隨著台北故宮的落成，故宮文物再次成為中華世界對外政治宣傳的最前線。世界上有國民黨的中華民國（台灣）和共產黨的中華人民共和國（中國大陸）這「兩個中國」的存在，彼此爭論著哪個才是真正的中國。對於被侷限在台灣的中華民國，故宮文物成為證明其合法性及正統性的一個「物證」。透過強調中華民國的文化優越性，承擔向世界宣傳蔣介石政權的任務，可說是一石二鳥。

「兩個故宮博物院」因為「兩個中國」而誕生。

「中華人民共和國故宮」的進展

這裡也想觸及中國的北京故宮。台灣成立了故宮，另一方面中國大陸也在一九四九年新中國誕生時，同時展開新的故宮。

故宮博物院的疏散文物中，將近四分之一的三千箱送去台灣。數量雖然稱不上多，但包括許多珍品。如何再次集結珍稀的文物，成為中華人民共和國代表性的博物館，以奪回文化光輝，這本是中國文化行政上的一大課題。但是在共產黨一黨獨裁下的中國政治，「美」、「文化」、「學術」之類的概念偶爾會被遺忘，有時候會被攻擊，故宮再度步上苦難的道路。

一九四九年一月，共產黨的最高領導人毛澤東控制北京攻略，而跟前線指揮官發出這樣的電報：「本次攻打北京須做好縝密的計畫，一定要避免破壞故宮、大學或其他具有重要價值的文化古蹟。」

當時國民黨軍隊瓦解，在北京沒有發生激烈戰鬥，北京引以為傲的紫禁城（故宮）等重要文化遺跡，都未受到很大的破壞。

同年一月三十一日共產黨掌控北京，在短短一週後，旋即對外開放北京故宮，這是安撫北京市民人心的緊急措施。

一九四九年十月中華人民共和國成立，第二年將「國立北平博物院」的正式名稱改為「國立北京故宮博物院」，之後又於一九五一年改稱為「故宮博物院」。刪除國立兩字的原因不明。在中國的行政體系下，故宮屬於國務院下的文化部文物局管轄。

除了國民黨帶走的兩千九百七十二箱，還有一萬一千一百七十八箱留在南京，其中一萬箱回到北京。

當初對於北京故宮的定位，中國政府內部也曾發生意見不合的混亂情況。一九五四年施行「故宮博物院整頓改革法」，故宮文物的展示是為了提高「思想性、藝術性、科學性」，融合了現代中國的藝術品及過去的文物雙軌的方式來表現。然而在那充滿革命熱情的時代，不可能重視純粹的「美」與「傳統」，文物的蒐集更是不如想像，毫無進展，又有批判官僚及浪費的「三反運動」，連要找到能夠修繕的公司都有困難。

一九六〇年代以後，展開毛澤東主導的文化大革命（文革），文化行政更陷入愁雲慘霧中。文革揭示的「破四舊」（打破舊文化、舊習慣、舊風俗、舊思想），使得故宮的存在正好成為攻擊的「目標」。

一九六六年曾發生紅衛兵叫囂「破壞故宮」、「燒掉故宮」試圖入侵故宮的事件，這些行動總算被制止下來，但是北京故宮以緊急事件向政府通報。當時的總理周恩來指示：「一定要保衛故宮」。於是暫停對外開放，收藏品被牢牢鎖進倉庫裡。

雖然如此，文革勢力對於北京故宮的攻擊並未停止，一九六八年解放軍的宣傳隊伍（大概是紅衛兵）甚至堂而皇之地進駐故宮。在故宮內設立革命委員會，在革命委員會的指導下進行故宮的營運。

一九六九年故宮大部分的職員被「下放」到湖北省等地方農村，故宮的博物館營運因此停頓。等到文革勢力減弱，革命委員會從故宮內撤退，一九七一年故宮才又回歸正常的營運。

正式推動改革開放的一九八〇年代起，中國開始故宮的現代化。興建了中國規模最大的倉庫，也開始整修展示空間。作為故宮「容器」的紫禁城，在一九八七年獲選登錄為世界遺產。

北京故宮在收藏品的數量上大幅領先台北故宮，加上近年來「國寶回流」的風潮，許多海外文物回到中國本土。不僅有中國的收藏家寄贈故宮，故宮自己從海外拍賣會上買回文物的案例也漸增，再加上新中國成立後，收集了在中國各地挖掘出土的文物。過去「質在台北故宮，量在北京故宮」的說法如今已未必成立，很顯然的，北京故宮收藏品質正不斷提升。

然而，北京故宮的「容器」或「內容」這樣結構性的問題仍然存在。作為世界遺產的紫禁城，既是代表中國的古蹟，也是北京故宮的展示空間。以紫禁城當作容器來鑑賞中華五千年文化精髓文物，當然是極其奢侈的環境空間。但是事實上紫禁城範圍太大，從一個展示廳到另一個展示廳，有時甚至要走上三十分鐘。光是欣賞博物館的建築就已經筋疲力盡，也沒有體力和精神注意到收藏品了。

同時，若說起我多次造訪北京故宮的印象，代表著中國宮廷建築紫禁城的壯大規模所帶來的感動，與鑑賞藝術品所體會細緻美感的感動，兩者在感性上未必一致，要在腦中從建築切換到藝術，有時還真不容易。

我個人的意見是，應該將故宮博物院搬出紫禁城。我曾聽到中國文化界有類似的聲音，為此也曾經向北京故宮前院長鄭欣淼探詢過「紫禁城與故宮分離」的可能性，但得到的回答是：「只能透過改善現有展示空間，提升鑑賞環境。」

第六章

中華復興的浪潮

——國寶回流

» 在香港舉行中國藝術品的拍賣會（著者攝影）

文化的繁榮是強盛安定國家存在的必要條件。希臘、羅馬、文藝復興時期的歐洲、江戶時期的日本、唐代全盛時期的中國，全都綻放豐富的文化花朵。

捲進戰爭就斷送文化。理由很簡單，殺燒擄掠的世界中，人類會以生存競爭和經濟活動為最優先，行有餘力時才有文化。希望享受人生，創造美的事物，這些需求都排在「衣食足以後」。

在第二章「文物流失」中，描述了清末民初宮廷收藏品開始大量流入世界的情形。國家混亂，文物流散。然而文物向世界擴散，也成為世界瞭解中華文化的契機。西歐的「東方藝術」世界裡，中國壓下了稱為「日本風尚」的日本文化，坐上首席寶座，以現在的說法可稱為「軟實力」（Soft Power）。

另一方面，對於中國人而言，文物被掠奪的歷史當然是一場悲劇。將中國帶入「現代」的原動力，就是不忘一雪遭西歐、日本蹂躪的歷史屈辱。

中國人對於日本歷史相關問題，持續反彈的原因何在？

中國人對於美國這個世界霸權，經常秉持著對抗意識又是為何呢？

鄧小平死前希望能親眼目睹一九九七年七月一日香港回歸，又是為什麼呢？（事實上他在香港回歸前半年過世了。）

所有的答案都是：為了收回失去的東西以「雪恥」。

從辛亥革命後中華民國在一九一二年誕生，直到一九四九年把中華民國趕到台灣，中華人民共和國成立，近代中國政治繼承了「回收」的根本元素。

先來談談台灣。中華人民共和國在憲法上規定，台灣是「不可分割的領土」。統一台灣是中國的願望，中國國民堅信有朝一日可以拿回台灣。

我向來認為中國人和日本人討論台灣問題，氣氛通常都不會好。

某次在北京和中國朋友喝酒，正當酒酣耳熱之際乾杯時說出「台灣要獨立」，朋友就會開始動怒說教「台灣絕不能獨立」。這位朋友知道我熟悉台灣問題，瞭解我是半開玩笑，還不至於太過激動。有時候雖然是說笑，但是日本人如果在中國將「台灣」當作玩笑來開，是非常危險的。

然而回顧歷史，要證明台灣從何時開始是中國的領土，非常困難。

中國清朝在台灣台南設置行政機關，派任官員，但卻沒有意願積極開發，充其量只為了交易活動而管理台灣西半部。「台灣為清朝領土」的認知，在當時是否存在仍是個問號。其後，清朝在甲午戰爭戰敗後，於馬關條約中將台灣全島割讓給日本，日本開始在台灣展開殖民地經營。在這個時點上，可說台灣這個島作為一個地域的領土概念，獲得國際及中國國內的承認。

但是在中國革命的原則底下，也有人認為，清朝與列強締結的不平等條約及割讓領土等均應回復。對於台灣則定義為：「甲午戰爭戰敗被日本奪走，原來是中國的東西。」一九四五年因日本戰敗，將台灣交由當時對外代表中國的中華民國政府來管理。在這個時點上，台灣離開日本的管轄範圍。一九四九年蔣介石與共產黨內戰輸了，率領中華民國政府逃到台灣，因此對於中華人民共和國而言，台灣還不算完成「回收」。

日文的「取回」，在中文是「回收」。香港主權的返還在中國也稱為「香港回收」。倘若台灣成為中國一部分的那一天到來，中國應該會大大的慶祝「台灣回收」這項歷史偉業。

話題回到文物。戰後的中國因為大躍進政策的失敗、文化大革命的混亂，步上苦難的道路，不是回收文物的時機。

一九七〇年代末期，「改革開放的總設計師」鄧小平登場，中國終於向發展邁進。一九八〇年代接受日本的經濟援助，逐漸建立體系。一九八九年天安門事件使得中國的經濟及國際地位在一時之間受到打擊，改革開放失去動力。一九九〇年代後期，中國經濟成長顯著，雖然貪污腐敗的現象仍層出不窮，但中國現代化以來揭櫫的「富強」目標終於逐步達成。

在這期間，中國失去的文物奔流回到中國。產生了「國寶回流」的現象。

香港出現圓明園的掠奪品

感受國寶回流現象最深的應是香港，過去是英國的殖民地，有「東方之珠」之稱，現在是中國的一部分，中國錢氾濫如洪水。

香港位於中國南方廣東省珠江三角洲地帶的最下方，面積大約是日本東京都的一半，地質幾乎全是岩山，不利農業，適合人類居住的土地只有三成。狹窄的土地住了七百萬人，摩肩接踵地在此生活。

大學時期有一年到香港中文大學學中文和廣東話。我因為受到香港活力朝氣的吸引，而選擇到香港留學，但在留學生活即將結束之前，被很多意想不到的事情弄得很灰心，記得當時好像覺得那裡說話和待人處事都有些粗魯。

香港是中國的「通風口」，因為鴉片戰爭及第二次鴉片戰爭戰敗，被迫租借給英國，由英國人孕育為世界上重要的港口都市。從停滯混亂的近代中國逃出的人、物、錢，都流進了香港。這些人當中，有革命家、有錢人，也有罪犯。他們和攜出的文物一起到了香港。

清朝末年，紫禁城所在地的北京成為中國藝術品流出的舞台，北京到處也形成流出品的市場。辛亥革命後被稱為「魔都」的上海，也加入了文物買賣市場的行列。上海商人高價賣給歐美愛好藝術品的人士，嘗到甜頭。歐美人士回到母國，再以更高價轉賣致富。

新中國誕生後，關閉了對海外的窗口。為了生活，為了逃離文化大革命帶來的破壞，偷賣藝術品的出口只剩香港。

到香港觀光，在舊社區旺角附近的夜市地攤上看到的中國藝術品，都是雜亂賤賣的便宜貨。到尖沙嘴大樓裡的土產店，也會有推銷翡翠手鐲的店家。

但是，香港自古以來經商多集中在香港島的上環、中環、灣仔這邊，也有幾十間賣真品的骨董店。我到這些店逛逛，和店家主人閒聊，聽他們自誇從文革時期拿到何等珍貴的文物，這也是我在香港享樂的方式之一。

只是這些骨董店已非香港藝術市場的主流。現在主角變成佳士得和蘇富比等世界級拍賣機構。兩家公司每年春秋兩次在香港舉辦拍賣會，是世界上最有活力，集合各地流出的中國藝術品拍賣會。

過去香港拍賣會上的主角是歐美人士，一九八〇年代因為泡沫經濟，日本人的身影急速增加，頻頻高價得標的樣子引起歐美人士的不悅。然而現在拍賣會場裡半數以上是中國人。進入會場後，坐在前半座位的大都是穿著西裝及套裝的歐美人士或日本人團體，後半的座位和站著的多是便裝打扮的中國人，穿著POLO衫或運動鞋的中國人也很多。歐美人士似乎感到「絕望」，只能接受中國錢潮（China Money）主導的現實。

拍賣會的語言使用英文及中文兩種。歐美的主持人也很熟悉中文的數字說法。拍賣以一萬港幣為基本單位，例如以一千萬港幣競標，主持人會用英文說：「one thousand」，並加上標準的中文說：「一千」。過去也曾使用廣東話，但現在已經不用了。

» 拍賣會現場（著者攝影）

二〇〇八年十二月時，聽說從圓明園掠奪的「流出品」出現，我特別飛到香港。

當追到高價，對於競拍表示讚美的掌聲，在俯瞰維多利亞港的灣仔會議中心會場響起，在佳士得舉辦的中國藝術品競賣會上，粉色光澤、瓶身有蝴蝶飛舞圖案的清朝瓷器，拍賣官落槌時敲定，以五千三百三十萬港幣成交。

「清乾隆御製粉紅地粉彩軋道蝴蝶瓶」

清朝乾隆帝時期的臻品，在佳士得的商品目錄上稱許道：「細筆精細描繪之卓越技術，少有相似作品，具有獨特的設計。」

我看到展示的真品了。豔麗的設計應該不投日本人所好，應用西歐技術畫出這個時期頗受歡迎的「粉彩」，水準相當高。粉色為底，輕巧點綴舞蝶，設計極為特別。

但是，這件作品受到高度矚目，主因是它的來歷——它是圓明園的流出品。

一八六〇年英法聯軍攻進清朝離宮北京圓明園。英國外交官洛赫爵士（Henry Braham Loch, 1827-1900）代表英軍，與清朝談

» 蝴蝶瓶（著者攝影）

判投降事宜。英軍士兵在圓明園掠奪的「蝴蝶瓶」，當時洛赫爵士在北京向士兵買下，將「蝴蝶瓶」帶回英國，馬上賣給大富豪莫里森（Alfred Morrison）。莫里森是個收藏家，而且不限於中國藝術品，他畢生蒐集世界各地的藝術品，宅邸整體改造為陳列室，用於收藏中國或波斯各地的藝術品。

過了一陣子，一九七一年佳士得在倫敦的拍賣會以四千三百美元得標。買主是藝術品的買家，隨即轉賣給美國的收藏家。「蝴蝶瓶」在沉寂多年後此次再度復出檯面，進入拍賣會。

拍賣會的得標者沒有公開姓名。這次的得標者是以電話競標，因此人也不在現場。但是，通常在藝術商的同行間，誰是得標者的「消息」不久之後就會傳開。

透過相關人士瞭解，得標者是「住在中國南部的收藏家」。

換言之，「蝴蝶瓶」在一百五十年後回到祖國。

參與回流的特殊人士是重量級人物的女兒

「蝴蝶瓶」只是其中的一個例子，一九九〇年代後半這樣的流出品陸續回到中國，支持這股潮流的正是中國的經濟力。

世界的藝術品交易商異口同聲這麼說：「現在購買中國藝術品出價最高的是中國人。」

特別感受到這股「回流」的動力是發生在二〇〇九年春天。此時我與中國拍賣界規模最大的「中國嘉德國際拍賣有限公司」總裁王雁南，在台北分公司見面。

王總裁是位身材修長、五官端正的美女，她在中國藝術品業界有不少傳奇故事，散發出一股氣質。說話的樣子充滿自信，態度進退有禮，完全沒有那種暴發戶型的企業家受訪時，時而挑釁、時而看不起人的態度，是一位令人印象十分深刻的人物。

» 王雁南（著者攝影）

在中國，auction稱為「拍賣」。在中國人對於藝術品「拍賣」尚無概念的一九九三年時，王雁南創立了「嘉德」，在很短的時間內就發展成中國規模最大的拍賣企業。

王雁南年輕時在美國受教育，曾擔任中國國防部的翻譯。一九八〇年代起，在北京高檔飯店「北京長城飯店」擔任經理，後來有商界的朋友問她：「要不要一起試試拍賣事業？」

當時的王雁南對於藝術品的知識還相當有限，猶豫著是否要加入。但是朋友對她說：「在中國當時誰都不懂藝術品拍賣，無論是你我，或其他的人，全都是門外漢。」因為被朋友的這番話打動，才展開了拍賣事業。

摸索中的嘉德公司在一九九〇年代後期，拍賣事業轉而急速擴大，王雁南擔任拍賣企業的經營者，年輕氣盛，知名度大增。

「拍賣企業搭上中國經濟成長的順風車，也非僥倖。中國人長期以來就有蒐集藝術品或骨董的習慣，在經濟成長前的中國，因為經濟力的緣故，『骨董』被定位在檯面下的個人嗜好。然而當人民開始富裕以後，喚起關心骨董的興趣不需費時太久，年輕人甚至比年長者更有強烈的購買意願。現在的買主以三十到五十歲為主，都是經濟發展之後財力雄厚的人。」

王雁南受到關注的原因不止於此。

王雁南本名是趙雁南，是前中國共產黨總書記趙紫陽的女兒。

一九八九年天安門事件時，趙紫陽對學生抱持同情的態度，遭到鄧小平為首等共產黨大老的糾舉而失勢。之後被軟禁在北京家中超過十年，二〇〇五年去世，至今名譽尚未恢復。

在父親的葬禮之後，王雁南接受美國廣播電台「美國之音」（Voice of America）的專訪，她是這樣說的：「我們全家對於父親的事情感到自豪，很多人也都支持父親的決定。因違反黨的規定或國家法律對父親處以長期軟禁，我們要求修正這項對父親的錯誤決定。對於父親的客觀評價早已存在於人民的心中。」

王雁南發表這番談話當時，她已坐上「嘉德」的首席。在中國，所有的行業如果和當局沒有「關係」就很難做生意，王雁南的發言相當程度踩進政治的範圍。

採訪時已約好不談她父親的事情，因此沒辦法追問。對於藝術品這行，王雁南有著強烈的自信心：「現在拍賣市場上的藝術品是『供不應求』，因此必須要到新加坡、台灣、美國、歐洲等地尋找拍賣品的賣主。此次訪問台灣，目的也是拜會台灣的收藏家，希望他們願意拿出來拍賣。」

嘉德的員工共有兩千四百人。二〇〇九年在北京、上海等中國各地，舉辦了一百二十場拍賣會，營業額超過十八億人民幣。同一年也到東京，在東京舉辦了藝術品的談話會。為了在日本尋找可拿到中國拍賣的藝術品，到日本各地拜會接觸的藝術商或個人收藏家，至少超過一百五十人。

王雁南從經濟現象來解讀「國寶回流」。

「從海外向我們提供文物的愈來愈多，中國市場很大，而且規模增加好幾倍。在中國的文物不夠多，因此必須仰賴海外的文物，政府也獎勵提倡『讓海外的文物回到中國』。中國的拍賣產業剛起步，一有事情媒體就報導，也就帶動更多海外文物想要拿到中國來賣。這不是靠行政可以做到的，世界的道理只有一個，有經濟活動就有物品出現，官員再怎麼阻止也沒辦法扭轉，經濟不好，文物就流出，現在中國經濟力強大了，文物自然就回流。」

「例如二〇〇〇年時，我們拿到翁氏的五百冊古籍收藏，翁氏是清末九大藏書家之一，後來他的收藏落到海外的收藏家手裡，最後以四千五百萬美元賣給上海圖書館。這套書成為這個圖書館的代表性收藏，很多領導都去看過，這樣的工作也需要我們民間的拍賣業者參與。」

嘉德代表了中國的拍賣事業進入全盛時期。除了嘉德外，陸陸續續有不少企業加入，中國整體的拍賣事業規模年年擴大。買方的九成是中國人，相對的，賣方的六成是海外的收藏家。透過拍賣的媒介，海外的文物正以猛烈的攻勢流入中國。

身為改革開放的先鋒卻因天安門事件而受挫人物的女兒，因為改革開放才有機會發展的藝術品拍賣事業，收割了成功果實，在恢復中國文化上扮演一定角色，實在是有趣的巧合。

一掃圓明園遺恨的人

有一群人藉由事業創造巨大的「回流」，同時也有一群人訂定戰鬥目標，展開一場流失海外的文物搶奪戰。

二〇〇九年二月，在法國舉行的拍賣會成為中國、香港、台灣，以及全世界藝術相關人士眾所矚目的焦點。

佳士得即將於巴黎舉辦拍賣會，拍賣品是過去放置於圓明園噴水池的十二生肖中的鼠像及兔像。在一八六〇年時英法聯軍破壞圓明園之後，這十二生肖銅獸首長期下落不明。對於中國人而言，這些文化財是最具象徵性、最知名、最為簡單易懂的「歷史恥辱」故事。

「法國人放火竊盜，一百五十年後想把被盜品變成生意買賣嗎？」

中國人及海外華人組成原告團向法國法院提起民事訴訟，認為拍賣是違法行為，要求禁止拍賣會。發起人之一的劉洋，是位住在北京的律師，我和他講國際電話時，對他非常興奮的語調很震撼。

十二生肖像的問題，我老早就很有興趣。因為在中國高昂的民族主義與這個文物問題結合時，很可能變成一種象徵。

創造十二生肖像的是清朝最強盛時期的乾隆皇帝。建造圓明園時，決定導入西歐式的宮廷建築，交由宮廷畫家郎世寧（Giuseppe Castiglion）設計。

郎世寧是義大利耶穌會的傳教士，擅長的技術深受中國人喜愛。銅像經常使用於歐美式的建築外觀，以中國傳統的十二生肖表示時辰。圓形的噴水池周圍放置十二生肖銅像，每兩小時屬於該時辰的生肖動物就會從嘴巴噴水，到了每日正午所有的動物就一起噴水，設計十分精巧。

乾隆皇帝對於這個十二生肖像的水力鐘非常喜愛，傳說有時還會到圓明園來，就是為了想看正午一起噴水的畫面。

事隔一世紀後的一九六〇年代，失去的動物再度回到舞台上。美國的骨董商在某位民間人士的自家庭園，偶然發現隨意被放置著的牛像、猴像、虎像。

» 右：牛像，中：猴像，左：虎像（著者攝影）

這位骨董商一定是對中國歷史造詣深厚，便以一千五百美元的低價買到這三個動物像。

之後，除了牛像、猴像、虎像之外，還發現馬像，陸續在各地的拍賣市場上出現。一九八〇年代，台灣著名的骨董商「寒舍」在紐約、倫敦等地的拍賣會，為台灣的收藏家陸續競價買下。在此時，價格還沒那麼高，也未形成話題，當然也未刺激到中國人的愛國心。

二十一世紀在中國人之間普遍有「中國的時代」這樣的自我意識，因而發生了從未有的化學反應。二〇〇〇年佳士得接受委託拍賣牛像，蘇富比拍賣猴像和虎像。雖然中國政府和中國民眾抗議聲不斷，認為「掠奪品被競標是個侮辱」，但是拍賣會仍照常舉行。

得標的是保利集團。這是中國人民解放軍系的大型企業，該集團在北京的保利藝術博物館展示這些藝術品。得標金額很高，牛像是七百七十四萬港幣；猴像是八百一十八萬港幣；虎像是一千五百四十四萬港幣。如果看看保利集團的背景，就應該可以瞭解中國政府應有某個特定的意向。

二○○三年在拍賣會出現了豬像，這次是澳門賭王何鴻燊出面。為了討回流失於海外文物而發起組成的「中華搶救流失海外文物專項基金」，何出資給該基金買下豬像，寄贈給保利集團。最近陸續因為家族分產風波醜聞而聲名大噪的何鴻燊，在一九九九年葡萄牙將澳門主權歸還予中國時，是當時「澳門三大家族」之一，具有相當的影響力。十二生肖像的問題，正好成為中國政府及民眾展現「愛國心」的最佳目標。何鴻燊在二○○七年以六千九百一十萬港幣的天價買下馬像，雖然已將馬像寄贈給中國，但是馬像還是放在澳門。

» 右：馬像，左：豬像（著者攝影）

澳門最著名的「新葡京飯店」，是到澳門觀光的遊客一定會造訪的地方，也可稱為賭王何鴻燊的城堡，是一家附設賭場的飯店。在酒店大廳，和何鴻燊的銅像放在一起的馬銅首，俯瞰世界的賭徒們。

何鴻燊雖然將所有權讓給中國，但作為澳門主權回歸中國的象徵，馬銅首留在澳門，表示和中國的領導部門講得上話。對於何鴻燊而言，馬銅首可說是對「中國」忠誠的證明，也是護身符。

十二生肖像有五個知道下落，除了馬像以外，其他四個都在北京的保利藝術博物館坐鎮。

保利藝術博物館位於北京辦公大樓區的保利集團大樓內，平常很少人來此參觀。展示廳的燈光昏暗。四個動物像的背景裝飾著遭到破壞後的圓明園噴水池。燈光照射下的動物像看起來宛如幽靈，令人背脊冰涼發麻，覺得不舒服。

» 放在保利藝術博物館的牛、猴、虎像，及最後放入的豬像（著者攝影）

「保利集團作為中國愛國主義教育的一環，買下十二生肖像」，博物館的

簡介上是這麼寫的。

中國相信因為一八六〇年英法聯軍蹂躪圓明園的掠奪，導致十二生肖像遺失。媒體也以「圓明園掠奪」→「中國人的憤怒」的架構，刊登報導。

另一方面，專攻中國文學及文化的優秀研究人員中野美代子於二〇〇九年發表的論文，提到有位名叫馬蓉（Carol Brown Marlon）的人在一九三〇年前後曾到圓明園田野調查，當時拍下的照片中有十二生肖像。此外，當時的報紙上插畫描繪圓明園遭掠奪後的景象，也畫出了十二生肖像。從這些證據，加上推論士兵們應該看不出帶走西洋式的十二生肖的價值，中野美代子認為：「對西洋的士兵們來說，像十二生肖動物這樣的東西應該沒有興趣」，推定並不是發生在一八六〇年，而是七十年以後的一九三〇年之後，某人切下十二生肖像的頭部，帶到國外去。

但是，這樣有意思的推論在中國應該不會拿來討論吧。原因在於中華民族悲劇的故事中，已賦予了十二生肖像扮演振奮愛國心的角色。

受到全世界矚目的巴黎鼠像拍賣會

回到競標鼠像的巴黎拍賣會，隨著拍賣日的接近，各界關心程度也日益升高。這件事情的來龍去脈在某種程度上實在非常有意思。

拍賣會在巴黎舉行，而掠奪圓明園的正是英國和法國。中國民眾必然感受到「來自掠奪者的再次侮辱」。

而且，鼠像和兔像的所有人是世界知名的法國服裝設計師聖羅蘭（Yves Saint Laurent）。聖羅蘭過世以後，由他的事業夥伴、也是傳聞中的同性情人比利時人貝爾熱（Pierre Bergé），繼承巨額的財產。

» 鼠像（著者攝影）

聖羅蘭如何取得這個十二生肖像的原委，不得而知，繼承人貝爾熱認為「十二生肖像的藝術價值低」，為了繳納遺產稅，因此將鼠像和兔像交給佳士得作為拍賣品的清單之一。

這位貝爾熱也是相當有個性的人，讓整件事情發展更為複雜。

針對中國方面的反彈，貝爾熱語帶挑釁的向媒體宣布：「如果中國政府可以考慮西藏的人權問題，我可以馬上將獸首送給中國。」既然拋出了西藏問題，迄今都還在一旁觀察民間反應的中國政府就不能再沉默下去，不然會被批評政府「膽怯」。

中國政府外交部發言人馬上提出反對的聲明，連「官方」都捲進了這個問題了。

中國人組成的原告團向法國法院提起禁止拍賣的請求遭到駁回，拍賣仍按照預定時程進行，得標結果再度震驚全世界。

最後的競標人是來自出生中國福建省廈門的藝術商蔡銘超，以三千一百四十九萬歐元拍得。蔡銘超以電話參加競標，但是就在競標後幾天，他在北京召開記者會宣布了驚人的消息：「我不會付款，獸首是中國的東西。沒有必要付錢，應該還給中國。」

拍賣是基於「信用」而成立的買賣制度，基本上誰都可以參加。競標者如果不照單付款，下次就沒資格再參加。在這個圈子不大的業界內也會喪失信用。

蔡銘超在記者會後不接受記者採訪，隨即不見蹤影。我想知道他的動機，經過多番調查，發現有位與蔡銘超很親近的朋友在台北，他是台灣著名的藝術商王定乾，也是「寒舍」的老闆。

「寒舍」的店面位於台北五星級旅館喜來登飯店內，如前所述，曾在一九八〇年代買賣交易其他的十二生肖像。

當我說明了採訪的旨趣，王定乾當著我的面用自己的手機，打電話給蔡銘超，但是電話不通。他說：「這幾天他銷聲匿跡，好像是中國政府要他別再對外發言」，並把競標的來龍去脈說了一次。

就在拍賣會之前，蔡銘超打電話給台北的王定乾。

兩個人是舊識，依據王定乾的說法，蔡銘超說：「我想讓競賣流標。我會參加競標。」

王定乾向他提出忠告：「你會喪失業界的信用，要好好地慎重考慮」，但是蔡銘超沒有聽取，決定行動。

王定乾說：「我認為他純粹是因為愛國情感，而不是受到中國政府的指示。他很清楚拍賣會的規則，目的就是要競標後不付款，讓拍賣不成立。」

拍賣會結束後，中國國家文物局發出聲明批評佳士得，但沒有提到蔡銘超。

「無視於中國的勸告，強行拍賣圓明園的動物像。文化財應該依照國際慣例歸還，這件事將對該公司今後在中國的事業發展，會有深刻的影響。」

蔡銘超拒絕付款，如其預期的，鼠像和兔像的拍賣流標，佳士得還給了貝爾熱。

要求返還文物的中國國內動向

蔡銘超擔任「中華搶救流失海外文物專項基金」這個團體的顧問，突然間受到矚目。前面提到何鴻燊時也說過，這幾年在中國推動文物返還運動的時機逐漸醞釀成熟下，這個團體的影響力不容小覷。

中國的「搶救」，意思是「快速地救出來」。在圓明園十二生肖像拍賣風波之前的二〇〇九年一月，我到北京郊外拜訪了這個團體的辦公室。對於我的疑問：「為什麼要特別組成團體來取回文物呢？」總負責人王維明滔滔不絕的回答：「香港和澳門都已經回歸中國，亞洲的殖民地主義也宣告結束。這與中國在國際社會的政治地位提升或經濟的急速發展都沒有關係。只是殖民地主義留下的所有問題尚未完全解決。我們正在處理的文物回歸運動，正是侵略中國所造成的悲劇中，目前最亟待解決的問題之一。」

該基金於二〇〇二年成立。基金會說明這組織是純粹由民間有志之士組成，但也有人說，基金會的成員包括曾在中國政府文化部任職的職員。活動資金的來源是人民解放軍系的大型企業「保利集團」，該集團也曾競標且展示十二生肖像。

組織成立以來，他們組成調查團遠赴歐美日等地，針對特定的流失文物進行調查，曾在中國國內舉辦以「海外遺珍圖片展」為題的流失文物照片展，希望喚起輿論的注意。

» 王維明（著者攝影）

除了用基金的資金在拍賣會上買回多件文物，也向中國的收藏家提供有關蘇富比、佳士得等舉辦海外拍賣會的流失文物資訊，如果競標拍下，也會協助「國寶回流」的活動。

依據王維明的說明，鴉片戰爭以後流出海外的文物中，光是國寶級的就高達一百萬件。聯合國教科文組織的統計顯示，世界上二十八個國家的一百四十七個博物館，共計收藏了一百六十七萬件中國文物。

當然大部分是正規交易的買賣，但也有以掠奪或類似掠奪方式從中國帶出去的，中國政府就是針對這些文物展開討還運動。

二〇〇二年起，中國國家文物局在四年間花費兩億人民幣，從海外購回兩百件以上。透過政府間協商的，一九九八年從英國討回三千四百件、二〇〇五年從瑞典討回一件、二〇〇八年從丹麥討回一百五十六件。

歸還運動的結果

散落在世界的中華文明「秘寶」數量浩繁。

例如，現存中國最早的書畫——東晉時代的畫家顧愷之繪畫的「女史箴圖」摹本——一八六〇年第二次鴉片戰爭時被英軍士兵拿走，現在收藏在大英博物館。

唐代畫家閻立本的代表作「歷代帝王圖」（北宋時期的摹本），絹本上刻畫了前漢昭帝到隋煬帝間的十三位歷代皇帝，現存於美國的波士頓美術館。

在日本知名度很高的敦煌莫高窟遺跡，從這裡帶走的壁畫和佛像，現存於美國哈佛大學。

每件都是中國文化史上不可或缺的一部分，每次看到這些海外文物，中國人的國族主義都會受到刺激是可以理解的。以這樣的民族情感為後盾，中國的文物返還運動會向前衝到何種程度呢？

上海大學有個組織叫「海外文物研究中心」，主要是記錄、研究流失於海外的文物，陳文平教授是該中心營運的負責人。他曾在九州大學留學，能說流利的日文。他是文物返還的「強硬派」，正在編纂《流失海外的國寶》（上海文化出版社）等的大型資料庫。

我與陳文平在上海的咖啡廳見面，他開口就說：「我在日本的時候，看到各地的博物館有許多中國的文物，就決定把文物流出問題當作畢生研究的題目。」以下我試著用對話的形式重現專訪。

野：「中國的文物流失到海外的情形如何？」

陳：「最初是清末，後來是民國初年，都是中國國力孱弱的時期。所謂的四大流出，最開始是一八六〇年英法戰爭燒掉圓明園的時候。第二批是一九〇〇年八國聯軍入侵北京，再來是辛亥革命前後，溥儀從宮中流出的。第四批是中日戰爭。以件數來說，我推估至少一百萬件以上，但是件數太多，不可能有正確的統計數字。」

野：「流出的原因是什麼？」

陳：「文物具有經濟價值，西歐人士和日本人買下來也是著眼於此，當時中國有位名叫盧芹齋的人物，設立『來遠公司』，賣給日本的山中商會等不少文物。但是有很多是透過非法的偷竊或掠奪而流出的，也有從日本來的團體，打著研究的目的卻以非法手段帶走。我們的目標就是要帶回非法流出的文物。先從象徵性的案件開始追起，美國怎麼說都是聚集了最多從中國盜出文物的地方。」

野：「那個個案是什麼呢？」

陳：「昭陵六駿的問題，七世紀時唐太宗在西安埋葬了文德皇后。她的陵墓稱為昭陵。太宗把奔馳戰場的六匹愛馬石像放在這裡，作為昭陵的守護神。這就是六駿。其中兩匹馬的石像現在保存在美國費城的賓州大學。」

野：「這其中有什麼問題呢？是石像被盜嗎？」

陳：「一九二〇年時被盜出，有兩匹在半路被攔截下來，有兩匹運到美國。現有四匹在西安的碑林博物館。」

野：「這好像和圓明園的十二生肖動物像的情形類似。如果要求返還，美國是不是會坦率的歸還呢？大學的話，一定是誰買下的，沒有善意的第三人嗎？」

陳：「曾經和西安碑林博物館協議，是有可能的。不管怎麼說，馬的石像本來是不能移動的文化財，這是硬把它運出來的。一九一四年時，中國已訂定法律不准將文化財運到國外。更重要的是，賓州大學當時和運出來的美國人討論有沒有什麼好的石像，大學還派研究員到西安。在石像盜出後的第二年一九二一年，以十二萬美元買下。這些都有資料佐證，他們明知違法，還是計畫性地把馬的石像帶出去。」

野：「今後會採取什麼行動呢？」

陳：「首先和大學方面來談。當然中國要求返還必須由當事人來決定。政府也可以，西安碑林博物館也可以。大前提是返還不附任何代價。這是依照聯合國教科文組織條約，要求將被盜取的文化財返還原保有國。」

陳文平的表情十分認真，可以感受到「必定回收」的堅強信念。整理流出文物去向，飛到世界各地，研究中心的活動經費來自於中國國內外「愛國主義意識高昂」的企業家們。從日本流出海外的文化財應該也不少，但是似乎沒有日本人秉持相同的信念。

中國在一九九〇年代以後，因為加強愛國教育的結果，對於日本的抗議行動等等，都是國族主義以各種不同形式大量爆發出來的例子，非常醒目。這一連串的文物返還運動，我認為也是中國愛國教育及國族主義的衍生物之一。

中國人高漲的愛國意識，因為和實質的經濟成長後成為大國的中國國力結合，文物返還運動遂逐漸形成一股浪潮。

中國對於討還文物的積極行動，使得世界各地博物館感受到危機。

二〇〇二年十二月，巴黎的羅浮宮博物館、紐約的大都會博物館等世界十八個重要博物館聯名發表聲明，拒絕返還的要求。其論述根據是：「我們應該判斷，過去的行為和現在的價值觀及脈絡不同，博物館不是屬於特定國家，而是負有普遍為所有人服務的義務。」

但是，中國政府的國家文物局長單霽翔提出反對的看法：「促進歸還不法流出的文化財，是國際社會間的共通認識，這是我們的文化基本權利。」

世界博物館方面的主張，確實聽起來有些地方是詭辯，但問題也不像中國所說的那麼單純。無論如何，這部分不管怎麼討論也很難有結論，只是淪為抬槓而已。要把線畫在哪裡相當困難，「掠奪」、「竊盜」的情況明顯，無論從法律的正當性或道義的立場，一定是對中國這樣的原保有國比較有利。

提出文化財返還問題的不只中國。二〇一〇年，埃及開羅邀集世界二十一個國家，召開「文化財保護及返還國際會議」，決議今後要團結一致，進行要求被掠奪文化財的返還運動。看來未來對歐美等國的壓力將會愈來愈大。當地媒體的報導指出，這些國際行動的背後，都與中國政府積極的策動有關。

中國已變成政治、經濟的大國，正嶄新地以文化大國的姿態，把「復權」納入計畫。

北京故宮作為歸還文物的容器，將以中華文明的中心再度綻放光芒吧！

第七章

故宮會達成統一嗎？

» 北京故宮前院長鄭欣淼及台北故宮院長周功鑫（著者攝影）

二〇〇九年三月二日，台北故宮。

迎接鄭欣淼首次以中國北京故宮院長的身分訪問台灣，與台北故宮的周功鑫院長共同召開記者會。

兩人名字的最後一字分別是三個「水」和三個「金」組成的漢字，都是在日文找不到的漢字，在中國和台灣也是很少見的，尤其是「淼」，知道讀音的人不多。

水和金都是中國陰陽五行說「金木水火土」之一。從陰陽五行上說：「五行相剋」、「水消火、火鎔金」的說法，經常用於比較個別對手間的優劣位置。這場記者會前，鄭欣淼在北京接受專訪時欣喜地表示：「我和周院長，完全沒有相剋的地方。我們很合。」

為目睹歷史的一刻，台灣當地的媒體、中國駐點台北的媒體，還有像我一樣的外國媒體記者數十人，都出現在台北故宮的記者會現場。記者席後方有各家電視台的攝影機，十幾部並列著。

台灣的有線及無線電視加起來，有一百多個頻道。與新聞相關的有線電視新聞台多達六家，加上三台民營無線電視台及公共電視都有新聞部，前來採訪的電視台攝影機相當多。因為是現場轉播，一般來說，記者提問都會覺得緊張，深怕問題太蠢，但是台灣的記者好像不怎麼在乎，即使是暴露無知也還不斷發問，令人覺得這是心胸開闊的南島風土上孕育出的媒體特質。

兩位院長一開始先互贈禮物。北京故宮贈送的是宋代畫家趙昌「寫生蛺蝶圖」的複製品，台北故宮贈送的是唐代僧人書法家懷素「自敍帖」的複製品。這樣的交流雖然是例行公事，但因為兩邊都是故宮，禮物傳達的訊息耐人尋味。

記者會上兩位故宮院長的反應

兩位院長一開始的致詞，都是四平八穩的發言，之後就是開放記者提問的時間。

記者會對記者來説是一個勝負立見的戰場。會場上有喜愛發問的記者，也有不喜歡提問的記者，我顯然是屬於前者。可是日本記者多數屬於後者。在記者會上不會提出太深入的問題，依據年輕時跑警政新聞學到的經驗，最好是在突襲式一對一的私下場合中，才偷偷詢問獨家消息。

像跑檢察、稅務、警察等這些單位新聞的記者，表面上説須遵守保密義務，檯面下卻有拚命放風聲的人，這樣做也不為過吧。但是從經驗法則來看，個別採訪和記者會說出的答案大概不會不同，反而是在電視台攝影機錄影直播的眾目睽睽之下，提出受訪者不容易答的問題，常會出現意想不到的效果。

這一天，當地媒體關注的焦點是兩岸故宮交流洽借文物展出時，如何處理台北故宮正式名稱「國立故宮博物院」的問題。

對於不承認台灣是一個國家的中國而言，很難接受台北故宮名稱中帶有「國立」二字。如果中國在這個部分十分堅持的話，就會面臨交流停擺的處境。然而，展開中台故宮交流的政治決定是由雙方最高領導階層提出的，不太可能因為名稱問題就停止交流。雙方應該都會務實地妥善處理。

一如預期的，兩位院長口徑一致的說：「為了迴避名稱及法律問題，將經由第三者來處理文物借展。以智慧來解決不涉名稱和法律問題，這是很重要的。」顯然事前老早就已經溝通過了。

我舉手提問，投出直球直搗核心：「我是朝日新聞的野島，想請教兩位院長。此次中國大陸和台灣的故宮展開交流，院長互訪往來，令人感到十分驚奇。兩岸故宮今後的交流想必也會十分順利。如果繼續下去，在兩岸統一之前，近期故宮統一的日子是否會先到來？」

在我發問之後，會場立刻陷入一陣沉默，然後又爆出笑聲。這是記者會上出現露骨問題時，經常會有的反應。

「兩岸」在中文的意思是指「中國和台灣」，亦即是位於台灣海峽兩岸的夥伴。中華人民共和國和中華民國（台灣）都主張自己是「中國」，因此「中台」的說法，在中國和台灣兩邊的社會都不存在。如果稱「兩岸」，可以給雙方都保有面子。用英文的說法，中台是**China-Taiwan**，兩岸的英譯是「**cross-straits**」，在這裡也可以看出有點複雜的中台問題用語（**terminology**）。

我表明問題之後，鄭欣淼院長和周功鑫院長兩人互看一眼，露出苦笑的表情。

先拿起麥克風的是鄭院長，和顏悅色地回答：「我和朝日的野島先生很熟，他一直對這個問題很在意。也許因為他是日本人的原因吧。所有的文物都是中華民族的文化遺產，是兩岸同胞共有的。這個問題留給未來的兩岸同胞來決定，換句話說，就是讓歷史來決定。我們首先要做好的是豐富現在的交流。」

接著，周院長神情有些緊張的說明：「故宮的收藏品已經放在台灣六十年了。這是許多同事共同努力守護的結果，在台灣這塊土地，對於台灣民眾而言已是不可或缺的存在。另一方面，文化交流非常重要，自不待言。交流的對象不只是北京故宮，上海博物館和故宮關係深厚的瀋陽故宮、南京博物院等，也都會開展交流。」

比較一下兩位院長的發言，可以看得出來發言的內容有些許的微妙差異。鄭院長在目前這個時機點上是不考慮「故宮統一」，然而未來並不排除。周院長則認為對台灣來說，故宮將來也不可能統一，但是因為瞭解中國方面的想法，所以不會說出否定交流意義的發言。

我喜歡以男女關係的例子來分析中國和台灣的關係。

某位男生（中國）的目標，就是和從以前就朝思暮想的某位女生（台灣）結婚（統一），現在與這位女生（台灣）交往，嘴巴不提要結婚（統一），卻把這樣的想法暗藏心中。對於這位女生（台灣）而言，想要開始交往的動機，是因為可以和有錢的男生（中國）上高級餐廳（經濟交流），拿到禮物（投資），雖然女性對男性的價值觀（共產主義、一黨獨裁）有疑慮，現在還不考慮未來結婚的事情，但最好是不要結婚（統一）才是她的真心話。

從兩位院長的發言，顯現了這對男女朋友（中國、台灣）對於結婚（統一）這件大事的熱切程度不同。

兩岸關係改善後台北故宮的「反向操作」

二〇〇八年五月執政的台灣國民黨馬英九政權，首先處理的就是改善兩岸關係。

累積已久的能量得到解放，大概就是像這樣子的情況吧。

即使在中國和台灣政治對立的民進黨執政時期，台灣企業也已經對大陸投資或進入大陸市場，中國和台灣間的經濟關係業已深厚。在馬政權下，重啟中斷了十年的兩岸對話，中國觀光客到台灣訪問、兩岸直航班機等等，都在馬總統就任不到三個月內一一解禁實現。

中國方面熱切企盼的「三通」，台灣在二〇〇八年底也欣然同意。三通就是中國台灣之間直接通信、通商及通航的自由化，這是鄧小平為統一台灣打造出來的「秘密策略」，用以取代武力統一。鄧小平在九泉之下也會十分驚訝吧。

在新政權誕生後，台北故宮也面臨新的時代。

民進黨曾經嘗試想把台北故宮轉變成「亞洲的故宮」，在第一章「民進黨未完成的夢想」中已清楚提過。奪回政權的國民黨，從否定民進黨的故宮改革開始，鐘擺又再次擺盪到另一端。

新任台北故宮院長周功鑫是位歷經風霜、經驗豐富之人。大學時學的是法文，進入故宮的第一份工作是法語導覽解說員，認真研究藝術，後來成為研究員。因為對於法國藝術造詣深厚，獲得重用，曾擔任蔣復璁、秦孝儀兩位院長的秘書。

一九九〇年代離開故宮從事研究工作，擔任台灣輔仁大學博物館研究所所長。因為馬英九政權的內閣人事布局，再度回到老巢。

周功鑫擔任院長的消息，被媒體報導評論為「老故宮」。「老故宮」是指一九四九年時和故宮文物一起撤退到台灣的那批故宮職員，周功鑫屬於戰後的世代，因此嚴格算來並不正確。

» 台北故宮院長周功鑫（著者攝影）

然而周功鑫的確是繼承了「老故宮」的價值，這在故宮相關人士之間廣為人知。若非如此，她在兩位深具老故宮及國民黨價值觀的院長之下，也不可能擔任秘書且深受重用吧。

同樣是女性的前任院長林曼麗就完全不同。林曼麗帶著文化人的華麗氣息，周功鑫則是身為故宮人長期累積點滴的經驗，在不同層次的意義上，這兩位院長形成對比。故宮在政權從民進黨移轉至國民黨之後的轉變，新舊兩位院長無疑是最好的象徵。

我曾經一對一的專訪周功鑫，前後共計五次。首次專訪是二〇〇八年四月，那時指派周功鑫為院長的消息傳出之後，我到她在輔仁大學的辦公室見她。

這是幾次專訪周功鑫中，訪談最為深入有趣的一次。採訪時經常發生這樣的情形。在尚未就任院長前，也許是因為還是民間人士的立場，向來謹慎的周功鑫在這次專訪中比較暢所欲言。在重要人物就任前就先約訪，所謂「打鐵趁熱」通常還滿有效的。

周功鑫針對民進黨的故宮改革，肯定地說：「故宮不是亞洲的博物館，而是中華文化單一主題的博物館。」前任院長杜正勝及林曼麗將故宮的展示從「主題別」改變為「依照時間順序」。但周功鑫指出，這個改變有問題，並且明言：「將考量參觀者的便利性，希望回到原本主題別的展示方式。」

針對民進黨故宮改革的重點「故宮南院」，她說：「故宮究竟有無必要設立什麼樣的分館，我將重新調查。故宮不可能大量擁有文物。就博物館本身，是否能夠聚集參觀者？例如像一個文化主題公園，我將檢討變更這些計畫。」

她明確表示將全面檢討故宮南院的定義及定位。

我一邊聽她說，寫筆記的手也感到了一絲震撼。

周功鑫在政治上並非採取激進手段的人，但她卻如此清楚明白否定了前一政權的故宮定位。代表一個「國家」的博物館走向，即將再度面臨重大轉變。

「南院」的命運如風中之燭

二〇〇八年國民黨馬英九就任總統，故宮南院的前景日益不明。故宮南院的設計者普理達克對於故宮南院計畫延遲不動，深感不滿，中間還一度提出辭職，發生契約糾紛，甚至普理達克還控告故宮沒有支付設計費。二〇〇九年三月，周功鑫院長宣布了新構想，故宮南院將成為「亞洲文化與花卉的主題公園」。

過去也只提出過亞洲文化的博物館，現在加上「花卉」，其構想是從台北故宮提供與「花卉」相關的陶瓷器或書畫等文物。

以博物館為中心的計畫可能無法吸引遊客為理由，突然變更計畫，引發地方人士及民進黨方面的騷動。我們媒體記者也是丈二金剛摸不著頭緒，心中不免存疑：「為什麼要以花為主題？」

台北故宮的說法是：「因為嘉義是農業縣」，但是還是想不透。

在專訪時，周功鑫對我說：「如果南院沒人來，博物館空蕩蕩的會變成台灣的恥辱。這是我們從吸引觀光客的角度來考慮，討論出來的結果。」

台灣把「空蕩蕩的公共建築」稱為「蚊子館」，是以沒人管理、沒人來訪、只有蚊子飛來飛去的印象來取名。周功鑫受訪時也用了「蚊子館」這三個字，我印象很深刻。因為故宮壯麗的形象和「蚊子館」真的「差很大」。

亞洲、花卉，這麼曖昧不明的主題，讓故宮南院的印象飄浮在宇宙中。本來是二〇一〇年，最晚也是二〇一一年應該完成的，但直到本書日文版截稿前的二〇一一年三月，台北故宮才宣布，故宮南院將於二〇一五年完成，真的是一延再延。

我的預測是這樣的，民進黨最初提出的故宮南院變成「代表國家的世界級博物館」的可能性，幾乎消失殆盡。最後大概會縮小為地方級的博物館，兼具休閒旅遊功能的複合性主題公園。

民進黨許下故宮南院帶動故宮改革的宏願，已是風中之燭。台灣政治在兩大政黨意見南轅北轍之下，政治的動向改變了所有事物的發展。如果未來的總統大選再度政權交替，民進黨再起的話……這樣的念頭閃過眼前。

距離第一次專訪半年後，再度接受我採訪的周功鑫，對於經營故宮展現出得心應手的樣子，言談間充滿自信。

周功鑫一開始就說，杜正勝等人推動的故宮「多元化」，「是沒有意義的」。

「他們的作法會把故宮本來的特色打散。博物館的經營不能太博，中華文化才是故宮的特色。杜先生的想法不是多元化，而是去中國化。方向不對，表示他對博物館的認識和專業性不夠。因為故宮原來就是以宮中收藏為主，不可能再去結合其他亞洲的文物。」

杜正勝認為「故宮比世界一流博物館遜色」的看法，周功鑫完全不作此想。

「故宮的優點，尤其是收藏品的精緻程度，這是世界其他博物館所不及的，連北京故宮也沒辦法比。我們比較不足的可能是數量上少一點，只有六十五萬件，不過在精緻度我們是最好的，也是精緻的部分中數量最多的。」

對於南院，周功鑫的態度則是有所保留：「台北故宮的文物不會搬過去，但是可以協助。名稱的部分，最後由政府來決定，我們瞭解如果只是在嘉義設立一個博物館，可能很難吸引觀光客，如果旁邊有個例如和西遊記相關的主題樂園，也可以達到振興嘉義觀光的目的。」

另懷心思的展開交流

本章一開頭提到北京及台北故宮兩位院長的記者會，時間再回溯到記者會前的半個月。

隆冬的北京，冰凍的空氣刺痛臉頰，連腳趾都凍僵了。如果不是因為採訪，我是不會想在這個季節來到北京的。台北故宮的院長首度訪問北京故宮，中國和台灣的故宮院長第一次見面，為了見證這個歷史性的一刻，是沒有理由缺席的。

北京故宮四面都有門，通常觀光客從故宮南側面向天安門廣場的「午門」

» 台北故宮周功鑫院長首度造訪北京故宮，由當時院長鄭欣淼導覽（著者攝影）

進入故宮。周功鑫頭一次以台北故宮院長的身分，從午門踏進位於紫禁城的北京故宮。

當時的北京故宮院長鄭欣淼負責導覽紫禁城，媒體記者和攝影機也在後頭追著跑。這一天，北京天空萬里無雲，太陽的紫外線特別強烈，周功鑫始終戴著墨鏡，拍下的首度訪問照片有點缺憾，一起去的北京新聞攝影記者一直念個不停。周功鑫的北京訪問之行在中國媒體圈具有歷史意義而引起騷動。那幾天中央電視台也大幅報導相關新聞。

中國歡迎中台故宮交流，其背後的政治動機是很明顯的。

在這十幾年來，台灣人的認同（identity）和中國大陸漸行漸遠。

一九九〇年代李登輝總統執政時期，重新評價日本對台半世紀殖民統治的「日本精神」，以台灣為中心重新編寫歷史教科書等等，逐漸淡化國民黨從中國帶來的中華思想。

二〇〇〇年當選的民進黨陳水扁總統，進一步推動「去中國化」，加強認識台灣這塊母親的土地，展開「台灣本土化」。

推動的結果，認為自己是「中國人」的比例，從一九九〇年代以前的過半數，下滑到十%以下。

如此一來，即使中國熱切地希望統一，台灣的民意也不可能贊成，除了動用武力的最後一招外，中國也變得無計可施。

中國領導階層感受到危機，因此做出結論，決定了以「文化統一」先行的戰略。

二〇〇八年底中國最高領導人胡錦濤國家主席，發表未來對台政策的重要談話，稱為「胡六點」。在這份中長期的對台政策綱領性文件中，胡錦濤提到文化交流的重要性，談及「開展各種形式的文化交流，形成共謀中華民族偉大復興的精神力量」，在六項中占了一項，可見舉足輕重。

» 北京故宮前院長鄭欣淼（著者攝影）

對於中國而言，依據領導階層的意向，稱頌政治主流意見外，也積極展開故宮交流。

只是當時北京故宮院長鄭欣淼不是個政治味濃厚的人物。

他原來是地方官員，在擔任故宮院長前，曾任陝西省委副秘書長，也當過中國最偏遠地區青海省的副省長。因為「喜好文化和文學」，公務之餘也從事魯迅文學的研究，留下重要的研究業績。擔任故宮院長以後，努力學習故宮的歷史和文物，陸續出版多本有關故宮歷史、比較北京及台北兩地故宮等著作，也倡議創設「故宮學」，綜合研究故宮的歷史及收藏品。

學者型的鄭欣淼開始與台北故宮交流，一再強調北京與台北故宮之間的「互補性」。

他主張故宮原來只有一個，既然分成了兩個，不足之處可以從另一個故宮補足。

在隆冬的北京拜會鄭欣淼時，他是這麼說的：「兩岸故宮長期以來因為種種原因，沒有正式的往來，我雖然曾以個人的身分去過台北故宮，但是不是正式以北京故宮院長的身分去。這是比較可惜的。」

「例如，因為歷史等諸多因素，收藏品中本來是一個系列的文物，一部分在我們這裡，一部分在台北。我們認為原來是一個東西，可以因為相互交流之後，促成過去做不到的研究。如果我們設置共同的研究中心，彼此的研究人員可以一起合作，將可以實現高水平的學術研究。特別是胡錦濤總書記提出胡六點以後，兩岸文化交流形成很好的氛圍，台北的故宮院長也來到故宮。有關於兩岸合作辦展，我們的收藏品到台北故宮沒問題，也很歡迎台北故宮的收藏品過來。兩岸交流中，文化交流特別重要，這是傳統中華文化對於兩岸同胞的一種民族認同感，也是和其他國家關係中看不到的。例如中國贈送熊貓給日本，也送到其他國家去。但是故宮的中華文物只在北京和台北才有，在兩岸交流中具有重要的作用，是不可代替的。」

的確言之有理，但我故意找碴問他：「關於您提到互補性，但是台北故宮相關人士認為北京故宮是個空殼子。北京故宮的紫禁城雖是登錄為世界遺產的偉大建築，但是好的收藏品全都被帶到台北去了。即使提到互補性，好像只有北京方面有這個需求吧。」

鄭欣淼有點動怒，他一一反駁說明，大概這樣的問題已經被問了很多次。

「這個我不同意，我認為最主要是台北故宮確實不瞭解北京故宮，包括北京故宮的人也都不瞭解。不要說是台北，大陸好多人也不清楚。台北故宮的收藏品一直是比較公開的，過去也曾經到美國展覽，帳目是比較清楚。北京故宮一直沒有對外公布過，也沒有花力氣在對外宣傳上。還有展示的場所是宮殿，這對北京故宮有很大的限制。來故宮的人很難把所有的展場都走過，地方太大了，不容易參觀也是個原因。」

「具體的說，北京故宮在哪些方面比較好？」

「中國傳統的文物，例如青銅器、書畫、玉器，在台北故宮近一萬件，我們擁有十四萬件，台北故宮的收藏品，在宋、元以前的宮廷珍品方面比北京故宮多，但是我們在明清文物方面比較豐富。」

「一般而論，中國的藝術在宋朝時達到最高峰，從這個角度看，最好的東西還是在台北，這樣的說法不對嗎？」

「話不能這麼說，舉例來說，最好的書法作品是西晉和東晉時期，北京故宮在這方面收藏很多。」

「台灣方面擔心，如果把文物借給北京會被扣押下來。」

「我認為不需要擔心，也曾向台灣的記者說過，但是台灣方面有這個顧慮。下一步怎麼樣，我們大家都在努力，用智慧想辦法解決的。」

這樣的對話一來一往，專訪鄭欣淼的時間很快就超過兩個小時。過去訪問中國官員，常常從頭到尾都是場面話，沒有什麼具體內容，但是訪問鄭欣淼後，瞭解了許多中國方面對於故宮的認識與想法，很有意義。

從北京回到台北的周功鑫，很快就著手準備鄭欣淼的回訪，鄭欣淼也依約搭乘兩岸直航班機，降落在台北松山機場。兩位故宮院長的會談，討論未來故宮交流的方向，也包括與上海博物館的交流。內容涵蓋不同層面，建構了全面合作關係的架構，主要內容如下：

一、雙方同意在不涉及名稱載示及法令之前提下，先進行實質性合作。

二、由北京故宮李季副院長、台北故宮馮明珠副院長、上海博物館陳克倫副館長擔任交流窗口，除每年定期會商，並隨時就交流進展進行討論。

三、學術人員互訪，期間從三個月到一年。

四、雙方輪流主辦學術會議。

五、雙方共同決定研究課題。

六、出版品及資料交換、共同出版。

二〇〇九年十月舉辦的「雍正大展」，實現了兩岸故宮的合作辦展。我在這個時候申請第三次專訪周功鑫，也獲得同意。

展覽開幕前的周功鑫，信心滿滿地期待這次的展覽。

「一般的印象認為，雍正皇帝是一個殘酷嚴格的皇帝。這次的展覽應該會顛覆這個先入為主的觀念。因為他是勤政的皇帝，批閱奏摺非常仔細，特別從景德鎮選出監督官員來製造瓷器。在任期間雖然只有十三年，但是當時國庫充裕，甚至導入了官員養老年金的先進制度。」

我繼續追問：「聽說雍正大展原來是台北故宮自己辦展，如果沒有北京故宮的展品，這次的展覽是否就不可能辦得這麼成功呢？」

周功鑫表示：「雖然沒有北京故宮的展品也可以辦展，只是質量上達不到這麼淋漓盡致。例如我們有畫像，但是沒有雍正皇帝裝扮成道士，或是外國人的畫像。我們也沒有十二美人圖，從這個美人圖就可以知道雍正的審美觀。有了北京故宮的協助，讓這次的展覽更加多元而完整。」

我又問道：「與北京故宮這個對手來往，有沒有什麼特別困難、不好溝通的地方？」

「舉例來說，我們和法國合辦展覽，可以直接和法國的美術館簽約。但是和北京故宮的話，就得透過第三者的機構來簽約。這次就是聯合報文教基金會來扮演這個角色。我們的正式名稱是國立故宮博物院，但是用這個名稱簽約就有困難，必須花費一番工夫。但是只要雙方有誠意，大部分的問題都可以克服。」

「照這樣說來，下次會在中國合辦展覽嗎？」

「台灣有司法免扣押的制度，這次我們向文建會申請，北京故宮有三十七件、上海博物館有兩件來台灣展覽，二〇〇九年十月七日到二〇一〇年一月十日期間，台灣任何人向法院申請假處分都不會成立，但是中國沒有這個制度。因此先在台灣舉辦合展，現階段台北故宮的收藏品是不可能出借過去的。」

下個目標「日本展」

與中國關係「正常化」之後的台北故宮，提出下個目標。

那就是過去從未實現的故宮文物赴日展覽。

因為中日戰爭，故宮的收藏品是不可能到日本展出的。戰後北京故宮文物曾經到過日本幾次，但是從未舉辦過正式的展覽。

在兩個故宮博物院當中，日本的文化界人士特別關切期盼的是台北故宮的收藏品能到日本。理由是台北故宮的收藏網羅了「珍品」，魅力無窮。

一九六〇年代，由當時親台派的首相岸信介和日本經濟新聞社當時的社長圓城寺次郎起頭，提出日本展的計畫。台灣方面也因為蔣介石的指示，開始與日本方面交涉，但是最後卡在台灣要求日本政府保證文物的安全，計畫因而中挫。

時間來到二〇一〇年底，與我見面的台灣駐日代表馮寄台，把促成台北故宮文物到日本展覽作為他任內的目標，此時他顯得十分焦慮，因為這個展覽計畫遇到困難。

馮寄台在二〇〇八年秋天赴日履新，當時的日本內閣和國會對於故宮赴日展覽的反應良好，一副勢在必行的樣子，計畫看似在二〇一〇年就會付諸實現。但是這條路走得並不平坦。

政權交替後的台灣國民黨馬英九政權，為與民進黨政權抗衡，「台日關係」必須做出成績，這是馬政權的宿命。

陳水扁政權時代的台日關係相當平順。日本駐台大使池田維，也是日本交流協會台北事務所所長，他在二〇〇八年七月離任時曾說：「現在的日台關係是一九七二年斷交以來的最佳狀態。」

陳水扁政權為追求台灣的獨自性，偏激的言論造成中台、台美關係冷卻，為了彌補這些敗筆，就以推動對日關係為最優先工作。

在彼此都主張所有權的釣魚台問題上，壓下漁民的不滿。陳水扁總統還空出時間，親自接見來自日本的國會議員等重要人士。有關中國軍隊動向的情報也都會轉至日方。

長年受到國民黨壓抑的「親日感情」，在台灣社會基層其實反而是普遍的自由流露。台灣整體社會與日本間的距離急速縮短，在陳水扁執政期間尤為明顯。

另一方面，馬英九總統有先天上的障礙。他是「外省人」，這種出身中國大陸的背景對於日本通常不會有太好的感覺。而且他在留學美國哈佛大學期間，曾經撰文主張釣魚台的所有權不是日本的，擔任台北市長期間對於日本的立場及態度嚴苛，被視為「反日」也是無可厚非的事情。

選舉期間被民進黨對手貼上「反日」的標籤，想要拉走票源，馬英九只能不斷拚命重申：「我不是反日」。

當選之後不久，倒楣的事情找上了馬英九。二〇〇八年六月在釣魚台附近發生台灣漁船沉船事件。這個海域是個環境良好的漁場，頻頻出現台灣漁船，日本認為其違法作業，近年來，日本的海上保安廳採取嚴密措施應對。

當時載著十幾名釣客的釣漁船進入離釣魚台十二海里位置的日本領海內，海上保安廳的巡邏船要求停船臨檢。在雙方不注意的情況下，日本巡邏船撞上想要逃開的台灣漁船，船型較小的台灣漁船被撞沉。雖然沒有鬧出人命，但是船長和釣客都被帶到沖繩接受審問。

台灣方面不認為日本擁有釣魚台的所有權。國內政治上，馬英九政權只能批評日本。向來對日嚴苛的「右派」國民黨議員和媒體，也全都開始批判日本，一夕之間對日的反彈聲浪迅速沸騰。

當時馬英九政權才起步，有關政權內的安全議題及危機管理的團隊機制尚未完全就位，回應的方式只能應付媒體輿論。本來應該立即採取止血措施，但由於行政院長劉兆玄「不惜一戰」的發言，更凸顯馬英九政權的強勢作為。

最後日本以賠償台灣漁船損失收場，但是日本方面認為「馬英九總統果然是反日派」的聲音，甚囂塵上。

對於台灣而言，日本是與中國相提並論的鄰國，日美安全保障的架構，對於台灣有形和無形的「保護」是不可或缺的。再者，在台灣民眾普遍親日的環境下，「反日」的形象會流失票源。為了四年後競選連任，馬英九總統不可能忽視日本對於馬英九缺乏信任的問題，因此把身邊的重要外交政策智囊馮寄台派去日本。

馮寄台說：「在他赴任前，馬英九交付了『三項任務』。」

第一項是開闢日本羽田機場和台灣松山機場之間的台日直飛航線。這在二〇〇九年已大致談判完成，已於二〇一〇年秋天啟航。

第二項是日本的外國人登錄證問題。長年以來台灣人被登記為「中國人」，從台灣的角度來看，這項措施很侮辱人。他的任務就是要改為「台灣出身」，這也在二〇〇九年日本修正入國管理法後達成。

最後一項尚未完成的任務，就是台北故宮的日本展。

喚動李登輝的司馬遼太郎

但是，日本政治的混亂連累了故宮的赴日展覽計畫。

赴日履新的馮寄台提出了目標，希望達成歷史上首次台北故宮展，想要擔任主辦單位的日本各家媒體隨即積極接觸馮寄台。朝日新聞、日本經濟新聞、產經新聞、NHK……各家媒體的社長層級人物，都與馮寄台見面，尋求支持「由本公司擔任故宮展的主辦單位」。

這是可以想像得到的，故宮展是介紹外國文化的藝術展中最具號召力的一個展覽，擔任首次故宮日本展的公司，也會在日本文化事業史上留下名號。同時故宮展會面臨其他展覽所沒有的各種「困難」。愈是困難愈想嘗試，這也是經營者的心態。

NHK在一九九六到一九九七年間，播放大型系列特別節目「故宮—至寶話語中華五千年」。NHK當時是頭一次在同一個節目中出現北京和台北兩個故宮的鏡頭。透過兩個故宮收藏數量龐大的文物，串起中國的歷史，具有相當的企圖心，也受到各界矚目，收視率很不錯。

在同一個節目同時處理兩個故宮的事物，這是中國或台灣的媒體做不到的。製作節目過程中，也因為兩個故宮牽涉的微妙政治問題，讓NHK傷透腦筋。

拯救NHK的是作家司馬遼太郎。

對於NHK的節目企畫，中國政府基本上是採取接受的立場。對於中國而言，為了未來的中台統一，兩故宮本來就是一個，可以經由日本的電視台透過文物提出訴求，當然沒有理由反對。問題在台灣這邊。

北京故宮的名稱是「故宮博物院」，而台北故宮的正式名稱是「國立故宮博物院」。「國立」這兩個字出現問題。中國不承認統治台灣的「中華民國」，不承認其存在。在節目片尾出現冠有「國立」的國家設施名稱，自然是不能接受。然而台灣當然認為自己是個國家，堅持國立的名稱不能拿掉，這讓NHK很困擾。

當時NHK的節目製作人後藤多聞，曾經拜託台灣駐日代表、也是國民黨大老的許水德幫忙解決問題，但沒有結果。後藤這麼想：「與其找政治家，也許不如借重文化人的力量比較好。」便找了司馬遼太郎協助。

司馬遼太郎和李登輝之間有特殊的管道。同樣是歷史作家的陳舜臣，也是NHK故宮節目的顧問團成員之一。

後藤把說服李登輝的工作，交給了司馬遼太郎。

為了在《朝日週刊》連載〈街道漫步　台灣紀行〉，司馬遼太郎在一九九三年一月專訪李登輝。在這次的專訪中，李登輝提到「生為台灣人的悲哀」、「國民黨是外來政權」等，在台灣歷史上留下了許多大膽的言論。司馬遼太郎和李登輝非常投緣，對於在外來政權下備受壓抑的台灣民眾深表同情，對於中國希望統一台灣的野心冷淡以對。

因為〈台灣紀行〉的發言，李登輝被中國視為「隱形的獨立派」，司馬遼太郎也因為這個專訪，無法再到中國採訪旅行，這次專訪留下不少逸事。李登輝也答應要帶司馬遼太郎到台灣東部的花蓮走走。司馬遼太郎為了和李登輝再見面，同年四月再度訪問台灣。

四月再訪台灣時，司馬遼太郎拜託李登輝：「如果要實現這件事情，只有NHK做得到。」司馬遼太郎的一句話，產生很大的效果。在這年的六月，後藤多聞突然接到台北故宮院長秦孝儀的傳喚。原來非常頑固的台北故宮，同意接受NHK提出的條件，協助拍攝節目。這是因為李登輝下達了指示。

NHK提議不放「國立」這兩個字，協調採用「北京故宮」和「台北故宮」的稱呼，台灣方面接受了。從此以後，中台間彼此的交流也沿用這個稱呼。本書原則上也蕭規曹隨，用以區分中國和台灣的故宮。這個用法的起源就是在此。

節目平均的收視率高達十四至十五％，非常成功。但遺憾的是，司馬遼太郎在節目播出前的一九九六年二月過世了，無緣看到與自己關係密切的兩個故宮節目。

「如果沒有司馬先生，台灣方面會說OK嗎？」後藤多聞不禁回想這個問題。

司馬遼太郎以他自己的方式探索故宮，懷抱著想法希望理解文物體現的「中華」。當時他曾問後藤多聞：「漢是什麼？中華是什麼？」

後藤說：「漢是民族的稱呼。關於中華，司馬先生說，應該將中華理解為文明。從文明主義的觀點來說明一個地域。但是從近代以來，中華實際上經常被政治所利用。司馬先生應該會希望將兩者區別清楚吧。司馬先生本來要在節目中，與陳舜臣先生以對談的方式討論這個問題，實在很可惜沒機會實現了。」

在NHK特別節目播出以後，後藤多聞出版了一本書，書名叫《兩個故宮》，比節目內容更為深入的探討故宮。

因為製作這個節目，NHK提出主辦中台兩個故宮一起到日本展覽的計畫。司馬遼太郎也期盼這個計畫能夠實現，但是問題出在「免遭強制執行、假扣押」的法律。

分隔兩邊的故宮文物，經常出現一方向另一方主張「所有權」的疑義，很可能發生要求討還的風險。台灣擔心的是，為了到日本展覽把故宮文物送到日本後，中國會在日本向法院提出所有權的訴訟，申請文物不得回到台灣的假扣押或假處分。因此等待法院判決提出法律意見的這段期間，文物會卡在日本動彈不得。

日本和中國有邦交，不承認台灣（中華民國）是「國家」。日本對於兩岸問題的立場，基本上是「理解並尊重」中國政府的主張，也就是「中國和台灣是一個」，但不至於認為台灣是「中華人民共和國」的。但是一般來說，從文物是國家所有物的觀點來看，有關所有權的法律爭議，台北故宮在日本並非站在有利的立場。對於台灣方面而言，如果文物暫時出借到海外最後拿不回來，不是只有台北故宮院長的位子不保，連行政院長都要下台。由此可以理解台北故宮如此審慎的原因何在了。

戰後，台北故宮曾赴海外舉辦數次大型展覽。

一九六一年及一九九一年曾在美國展覽，之後也曾在德國、英國、法國、奧地利等國展覽。也許名稱不盡相同，但每個國家都有法律保證「免除假扣押」，因此台北故宮才會同意出借收藏品。

台灣方面同樣也向日本要求「免除假扣押」的立法措施。但是日本方面以當時的國會情況為由，表示透過議員立法有困難。中國文物局表示可以出具保證，說明：「台北故宮文物到日本，不會發動假扣押」。然而台灣方面表示：「北京空口無憑，不能相信」。從NHK節目發想出來的聯展構想，因此中挫。

平山郁夫有志未竟成

二〇〇〇年開始的八年民進黨政權時代，故宮赴日展覽計畫完全沒有進展。除了因為中國和台灣的對立，日本方面的主辦方也是猶豫不決。

國民黨馬英九政權誕生以後，故宮日本展相關的問題和行動從四面八方冒出來。

「希望實現故宮的日本展」，馬英九政權明確地向日本傳達了這個訊息。馬英九政權誕生後，中台關係改善，與故宮相關牽涉的中台政治問題，風險也大大降低，因此日本也比較容易展開行動。

有關故宮日本展此事，一九九〇年代，曾有戰後日本代表性作家司馬遼太郎居中關切協助，而這次是由日本戰後畫壇的代表性畫家平山郁夫出馬，擔任協調角色。

平山郁夫因為以絲路為題材的作品成名，擔任日中文化相關團體的負責人，他握有中國政府相當重要的人脈管道。平山郁夫將故宮展定位為他人生的大事業，目標就是要舉辦北京和台北兩故宮聯展。

展覽時間設定在二〇一一年。這一年正逢推翻清朝，辛亥革命一百週年之際，回溯發源於辛亥革命的共產黨和國民黨，故宮文物分屬為中台雙方政權，希望能同時在東京相遇，浪漫演出。

平山郁夫挑選了一個最佳場地——東京國立博物館（東博）——作為故宮文物在日展出的歷史性舞台，這是具備政治敏感度的平山郁夫才會有的用心。

平山郁夫有管道直通中國政府最高領導階層的人物，相當有把握可以獲得同意赴日展出。問題就只剩下台北故宮這邊了。要台北首肯到日本展覽，日本政府必須採行免除假扣押的立法措施。

二〇〇九年，平山郁夫邀請親中派自民黨國會議員的代表性人物加藤紘一和親台派自民黨古屋圭司，到東京赤坂的飯店餐敘。前首相竹下登的弟弟竹下亘眾議員、前首相小淵惠三的女兒小淵優子眾議員，也都出席餐會。

平山郁夫開門見山的說：「中國、台灣都各有故宮的珍品想到日本來展出，各位，我們希望有一致的共識，通過免除假扣押的法案。」

加藤紘一和古屋圭司這些人都願意參與這項歷史性的事業。加藤紘一在餐會後不久聯繫平山郁夫表示：「自民黨的黨團已經知道這件事情了，民主黨那邊也沒問題。」

集合兩個故宮文物舉辦大規模展覽，應該由什麼成員來籌備，也要開始策畫了。

二〇〇九年六月，在東京淺草橋的「龜清樓」。這是安政元年（一八五四）創業的傳統日本料理老店，平山郁夫很喜歡來這裡。這一天，平山郁夫運用他的人脈，聚集了朝日新聞、NHK、全日空、電通、東博等企業或團體的老闆及負責人。那時，高齡已經七十九的平山郁夫熱情地說著：「中國、台灣的兩個故宮，本來是一個。但現在不幸地分成了兩個，能讓它變成一個，是我的夢想，我的希望。」

籌備會暫時定名為「兩岸故宮博物院展示實行委員會」。

會長是平山郁夫。成員包括朝日新聞、NHK、東博等機構。平山郁夫親自寫信給中國政府文化部。台灣方面就等待通過免除假扣押法案後，便可以開始行動了。

不幸的是，計畫展開行動之際，二〇〇九年八月，自民黨在國會選舉中大敗，失去政權。已經協調處理的法案又得退回從頭再來。

幾乎在同一時期，平山郁夫罹患腦梗塞，最後的階段還說：「希望打針不要打拿筆的右手」，結果病情還是沒有好轉，在同年的十二月去世。

司馬遼太郎也好，平山郁夫也好，這兩位戰後代表性的文化界人士把故宮當作人生最後的表演舞台，但都無法親眼目睹故宮文物到日本展出就離開人世，真是令人遺憾的巧合。

民主黨政權的混亂引發再度觸礁

另一方面，日本方面開始有動作，要促成台北故宮在日本單獨展出，而非中台故宮聯展。這次是由產經新聞主導。該報社與台灣保持長年的深厚關係，最先開始推動台北故宮單獨在日本展覽，由高層出面積極洽談。

二〇一〇年五月，產經新聞社長住田良能訪問台灣，晉見馬英九總統時，他強烈表達期望：「產經新聞早在三十年前就積極推動國立故宮博物院的文物到日本展出，這也是日本國民引頸企盼的盛大活動。有關保護海外文物的相關法規，在日本國內已有所進展，富士產經集團希望能把握這個機會，讓日本國民親眼目睹深厚的中華文化，非常樂意促成。」

住田良能與台灣關係匪淺。在一九七〇年代國民黨一黨獨裁的時代，產經新聞曾經獨家訪問蔣介石總統，由住田為撰稿核心，出版《蔣介石秘錄》（中文版名稱是《蔣中正秘錄》）。產經新聞從那個時候起，就把主辦故宮日本展當作該報社的重大任務。

馬英九總統並沒有口頭承諾產經新聞，但是住田似乎抱持著高度的期待，回到日本以後，立刻去拜會東博，並低頭說：「如果能舉辦故宮展覽，請東博務必同意出借場地」。但是東博的立場很微妙，產經要主辦台北故宮單獨在日展覽，不是一件單純的事情。

這是為什麼呢？東博是日本的國立博物館，與日本沒有邦交的台灣，要在東博單獨舉辦故宮展，可行性幾乎是零。因此中台故宮聯展是最低底線。這也是平山郁夫當初構想把東博加進來的原因。

除了東博以外，台北故宮單獨展覽要找到合作的國立或公立博物館的可能性不高，倘若果真如此，難得到日本的故宮展，將因為展覽場地狹小，淪為一場次要性的小展。

我雖然沒有預料到平山郁夫會這麼快過世，但是台灣方面對於故宮展覽的熱情不減。二〇一〇年以後，繼續對日本國會議員下工夫串聯協調，促成提出免除假扣押的法案。

執政黨的民主黨決定在春季的國會會期中，提出「海外美術品等公開促進法案」，在文部科學省（教育部）及外務省（外交部）的協議下，依據展覽主辦單位提出的申請，指定保護對象及保護期間，可迴避假扣押。這個法案也獲得在野黨自民黨傳統親台派團體的支持。

同年四月，日華議員懇談會會長平沼赳夫出席台北駐日經濟文化代表處成立「台灣文化中心」的開幕典禮，當場明確表示：「五月連續假期後，如果法案提出來，將會獲得超黨派的支持通過。」距離故宮日本展的實現，又更接近了一步。

不幸的是，日本鳩山首相因為沖繩的美軍普天間基地問題協調失敗，國會的運作陷入停頓延遲，與故宮相關的這個法案變成不是優先法案。到了七月參議院選舉時，執政黨的民主黨慘敗，法案又回到了原點。

雖然如此，台北故宮要求的免除假扣押法案終於在二〇一一年三月通過。《朝日新聞》、《日本經濟新聞》等媒體又開始積極遊說台灣。二〇一一年五月我專訪馬英九總統時，馬總統表示：「二〇一三年或許是個適當的時機」。

故宮文物總是容易受到命運擺布、難關不斷。未來台北故宮文物赴日展覽，會有什麼樣的意外變化，誰也不能掉以輕心。

秘藏在文物裡的中華民國價值觀

從故宮交織出來的故事中，令人瞭解到博物館的存在竟然是如此驚濤駭浪。過去對於博物館的印象是安靜的，但實際上卻非如此。內部的展示品經常更替，展示的意涵也會傳達活靈活現的訊息。從展示、人們的表情、整體的氣氛等等，都可以解讀這些訊息。

對於國家而言，會運用某個場館來反映她的意志，以及對未來的理想，建築也是如此，例如國會、首相官邸、紀念碑等都是。國家經常將國家的發展方向、領導人的理想投射在巨大的建築物上。因此建築可說是象徵時代的精神。

如果說巨大建築是硬體，博物館可說是體現國家意識軟體的代表。展示的內容及方式包含了領導人和國家的理想。民進黨和國民黨針對台北故宮的爭論，正是博物館作為政治道具的佐證吧。此外，博物館也是國家盛衰的象徵。清朝末年是中國孱弱的時代，文物流出海外，新中國誕生後，也發生了文革之類的事情，故宮的營運也跟著混亂。

此外，透過博物館也可以瞭解該國國民的美感意識及精神。

我每次訪問故宮，讓我更加確定一件事情，那就是日本人和中國人對於「美感」的品味不同。

中國人認為「很美」的東西，日本人會覺得雖然「很了不起」，但「美」中卻帶有「不祥」、「噁心」的感覺。

以青銅器為例，中國銅錫合金的青銅器自古以來就很發達。青銅器是武器，但也被當作祭祀器具。

留存到現代的青銅器已氧化褪色變成黑青混雜的顏色，顯得十分笨重。黯淡的青銅器顏色，並不是日本人喜歡的「鏽斑」。但是這個黯淡的顏色，正是經年累月沉澱出來的變化，剛製作好的青銅器宛如磨製完成的不鏽鋼，綻放著光芒。

» 置於北京故宮的三羊尊青銅器（著者攝影）

古代中國的祭祀主要在夜間舉行。在沒有電力的黑夜，閃閃發亮的青銅器切下祭拜用的牲品。文物是歷代皇帝用來讓民眾相信他有「神性」的東西。

在青銅器上，經常刻有密密麻麻的圖案。現在拉麵碗公上的雷文也是其中之一。我最喜歡的青銅器是雕刻怪獸圖案的，張開的眼睛、誇張的嘴巴、曲折的角，像怪物，也像龍，還是鬼。這樣的圖案被稱為饕餮。饕餮是中國神話裡的怪獸，體型像牛或羊，有彎曲的角、虎牙、人臉。饕餮的「饕」是貪財，「餮」是貪吃。本來的意思是什麼都貪的惡獸，後來轉化為什麼妖魔鬼怪都能吃的避邪之神，受到大家膜拜。皇帝可以使用饕餮的器皿煮食人類，同類相食。透過文物上通神靈，告訴人民君臨天下。

這樣的不祥之物，中國人卻覺得美。

日本研究有關中華文物歷史意義的重要學者——東北學院大學富田昇教授指出：「中國人對於美感的價值觀底層中，崇拜不祥的青銅器存在著獨特的價值觀」。我也有同感，一般日本人不易理解的世界，就在那裡。

不只是青銅器，在思索理解故宮的這些日子，我也在思索中華民族的文物價值是什麼。這個謎團實在是超出自己的能力範圍，被故宮博物院的「不可思議」吸引著，一步一步，開始了探索故宮文物及歷史背景之旅。採訪的足跡不僅踏遍台北、北京，也拜訪了上海、南京、瀋陽、四川、重慶、湖南、香港、新加坡、東京、京都等地，專訪人數超過上百人。

在這過程中，摸索出幾點心得。

中華政治十分重視文化。然而這與其他國家提倡的「文化重視」，內涵並不相同。在中華，文化幾乎等同於政治。文化是用來證明政治權力的道具，也是權力與社會、權力與歷史的指標。

對於政治不斷變遷的中華民族而言，歷史傳承極為重要。中國是世界四大文明之一，歷史悠久，這也是中國人十分驕傲的地方。中國並沒有像日本萬世一系的天皇家族，也沒有貴族。朝代興亡交替，新朝代誕生，舊朝代的家族即遭滅絕，或者大隱於市，因此足以證明中國悠久歷史的，基本上沒有家族、家系這個要素。

但是證明自己生命和存在的「榮耀過去」，這種事實必須獲得某種方式確認。人們沒有過去，就不可能有現在。而繼承過去的就是文物，文物的所有人就擁有歷史。

手上握有歷史，權力就有「正統」的權威加持。

朝代興盛之時，皇帝就想把前朝因為戰亂失散的文物再度找回聚集，同時自己也開始熱中於文化振興。因為沒有文化，就進不了中華的傳統。

朝代衰退後，文物開始離散，又因為新朝代的誕生，文物再度回到皇帝身邊，這個過程循環不已。朝代和文物形成密不可分的關係。

第一任台北故宮院長蔣復璁的論文中曾提到，周朝的紀錄顯示王宮內有收藏文物的地方。前漢（西漢）的「石渠閣」、「麒麟閣」；後漢（東漢）的「雲台」、「東觀」，都是宮廷內的圖書館或博物館。唐代也有「凌煙閣」、「弘文館」等名稱的圖書館或博物館。文化最為興盛的宋朝，六個收藏書畫的地方稱為「六閣」，現在故宮收藏的文物中，也有蓋上宋朝官印的東西。因此也有人說故宮的收藏始於宋朝的皇室。滅掉北宋的金，掠奪了所有的文物，不久後被蒙古族所滅，文物又轉移到元朝手上。後來明滅了元，明朝是第一個把文物運到南京的朝代，後來遷都北平（北京）時，文物又從南京回到北平。

朝代滅亡時文物流出，朝代興盛時文物回流。這種文物集散循環持續了五千年的歷史，本書介紹了故宮文物的流出及流轉、運送到台灣、國寶回流現象等等，都在這部歷史上留下一筆。

故宮文物的命運，用「命運多舛」這樣老套的形容詞是不夠的。應該從更長遠的眼光看到文物的悲歡離合，甚至可以想成是歷史上的一幕。

從清朝末年到中華民國初期流出的文物，象徵了中華帝國的衰退。為躲避戰亂，故宮文物南遷，甚至西移到內陸，也是因為中華孱弱，日本入侵所帶來的厄運災禍。

蔣介石把故宮文物運到台灣，這也是象徵了中華民族的分裂，兩個故宮因此誕生，體現了中國世界的分裂與膠著。目前在台灣的故宮，無疑是證明了中國革命帶來的文物流離故事還沒結束。

在未來五到十年內，台北故宮不太可能被北京吸收。只要中國沒有用武力攻打台灣，台灣的當權者對於價值超過台灣國內生產總值（GDP）的故宮文物，是不會放手的。

集結了中國大陸傳統文物精髓的故宮文物，在長期流離之後，隨著國民黨撤退到了台灣，這是歷史性的變遷。中國、台灣分裂以後，蔣介石的國民黨政權運用一九六一年的美國展覽，以及一九六五年的台北故宮落成，向世界訴求他是「中華文化的正統繼承人」，作為政治目的來運用故宮文物。在台灣，蔣介石以故宮為象徵，用以對外「宣揚國威」，對內將國民黨和「中華」連上等號，透過故宮向台灣庶民階層進行滲透。

反抗國民黨統治的人們組成的民進黨，希望從相反的角度賦予故宮新的政治象徵。透過將故宮「非中華化」，以達到「去中國化」。但是這樣的嘗試並未成功。

二〇〇八年奪回政權的國民黨，除了否定民進黨的故宮改革，並且運用故宮從事與過去相同的中華主義的宣傳。甚至把中國認為蔣介石搬遷故宮到台灣是「小偷行為」的說法，當作強調中華是中國和台灣之間的聯結，巧妙地政治利用中國、台灣的故宮交流，可說是對歷史的一大諷刺。

未來中國、台灣關係改善的新一波政治潮流中，故宮的存在應該會更被當作政治利用的絕妙工具。同時，台北故宮赴日展覽的實現之日，也將在馬英九政權的對日外交脈絡中，持續實實在在地往前邁進。

另一方面，從清朝末年向世界擴散的文物如今開始回到中國，我們也親眼目睹這股潮流。今後因為中國的大國化，政治、經濟、文化的「國寶回流」趨勢將更強勢，應該不會弱化。就像潮汐的漲退及月亮的圓缺，中國今後與文物有關的事情應該是朝向「滿」的方向走。未來中國將以北京故宮為基礎，更進一步邁向「文化強國」吧。

在這個思考架構下，存在於台灣和中國的「兩個故宮博物院」，將是歷史的見證人，也是展望未來中華世界的指標。

台灣版後記

對日本來說，中華文明有著特殊意義的存在。日本歷史上，文化面受到中華世界的影響相當大。繪畫、書法、陶瓷器等代表日本的傳統文化，基本上是以中國為基礎及範本，加上日本人獨到的特色發展而成的。

在現代社會中，這樣的中華文化最令人感到親切的地點是哪裡呢？當然就是故宮博物院了。到台北或北京觀光，首選造訪的地方就是故宮，曾經去過故宮的日本人可不少。

然而觀光客可以慢慢欣賞故宮文物的時間或是空間並不多，因此在日本得以好整以暇欣賞故宮珍品的「故宮展」，是個體驗中國文化的絕佳機會。光是「故宮展」這個名稱，就讓展覽魅力倍增。

過去日本的朝日新聞和日本經濟新聞都曾強烈希望主辦台北故宮的赴日展

覽，這在書中提過。二〇一一年六月時，日本新潮社出版日文版後，故宮赴日展覽此事在日本社會引發討論，故宮問題正持續發酵中。

在台灣版後記中，我想說明二〇一一年六月以後故宮赴日展覽的最新動態，也要談談故宮問題在台灣的後續發展。

在日本的藝文界有個不成文的習慣，每當舉行大型藝展時，一定是由美術館或博物館與報社或電視台共同擔任主辦單位。有關選擇展品、製作目錄、安排會場展示，及與藝術相關的專業工作等，都由博物館或美術館方負責。而跟保險、運費、入場券收入等財務事項及宣傳有關的，就由媒體方負責。

博物館、美術館把不擅長的「經營」、「涉外」部分交給媒體，專注於辦理專業的大型藝文展覽。另一方面，對媒體而言，如果展覽成功不僅有收入進帳，同時可向社會大眾宣傳、展現熱心文化事業的形象。

二〇一一年五月朝日新聞晉訪馬英九總統，我因為也是採訪團隊之一，從東京飛來台北，手上握著一封信和一份中文翻譯。這是朝日新聞社社長寫給馬總統的信，希望台灣方面將台北故宮的赴日展覽交給朝日新聞社主辦。

二〇〇八年馬總統執政後，兩岸關係大幅改善，一改過去中國和台灣的冷卻情況，兩岸故宮一同到日本舉辦展覽的可能性大增。基於這樣的期望，由日本著名畫家平山郁夫、朝日新聞、NHK、電通公司等為主體，著手企畫兩岸故宮展。雖然如此，我一開始對於兩岸故宮展實現的可能性就抱持懷疑的態度，原因是對於中國來說，與台灣故宮一起聯展，或多或少有利於統戰工作，但是對於台灣而言，在日本聯展只是與中國並列，並不能達到台灣方面期望的「提高日本社會對台灣的關心」。

在日本，一般而言低估了兩岸關係的複雜度。兩岸故宮展的計畫雖與我的工作沒有直接相關，但現在事後來看，日本的確對於台灣故宮問題的重要性，缺乏一定的敏感度。

如我所預期的，台灣方面對於兩岸故宮聯展不感興趣，計畫受挫，改為台北故宮單獨辦展的方向處理。為了要在日本舉辦台北故宮展，日本各家媒體無不使出渾身解數向台灣方面遊說，希望能獲選為主辦單位。

馬總統在接受專訪時也提到故宮問題，他說：「故宮博物院文物到日本展覽，如果一切順利，故宮方面認為二〇一三年應該是一個適合的時機。文物蘊含歷史文化的意義，有助於雙方深度瞭解。如果日本博物館的文物也可以同時來台灣辦展的話，效果會更好。這是我個人熱切希望達成的。」專訪順利結束後，我就把社長的信親手交給馬總統。

台灣方面對於故宮展的時間及辦理的形式，當時還沒做決定，甚至連決策的架構都還沒形成。不過有趣的是，我們獨家專訪馬英九總統後，刺激了其他媒體。就在朝日新聞晉訪後，日本經濟新聞社的會長、讀賣新聞社的最高顧問都接連訪問台灣，晉見馬總統，形成了「朝日新聞 v.s. 日經＋讀賣」的態勢。不僅如此，向來與台灣關係深厚的產經新聞也表達強烈的意願，加上東京中日新聞、每日新聞等數家媒體，都開始關切台北故宮赴日展覽的事情，呈現出「台北故宮爭奪戰」的態勢。

二〇一一年，台灣駐日代表馮寄台成為日本媒體鎖定的對象。馮代表是馬總統身邊的人，二〇〇八年總統選戰時擔任國際事務的顧問，二〇〇八年奉派到日本，馮代表也強烈希望促成故宮赴日展覽，曾交給我一篇投稿的文章，題為〈在日舉辦故宮展，必須通過免除假扣押法案〉，後來刊載在《朝日新聞》的意見版專欄「我的觀點」。

當時日本國會遲遲未審議海外文化財免除假扣押的法案，馮寄台也期盼盡早通過。在這篇投稿中，馮代表提到：「令人遺憾的是，迄今無法實現在鄰國日本舉辦故宮展覽。台灣和日本雙方並非不期盼舉辦故宮展，反而是熱切期待的。馬英九總統在兩年前就任後不久，就提出希望在日本舉辦故宮展覽。目前實現故宮展覽的唯一障礙，就是免除假扣押的法律問題。」其後，終於在二〇一一年春天，日本國會通過了延宕多時的免除假扣押法案。

依據內部消息，台北故宮將在二〇一四年六月至八月間赴日展覽，地點就在東京國立博物館。此外，也計畫在日本的九州國立博物館、東北地方的仙台等地巡迴展出，其中也帶有鼓舞東日本大地震受災災民之意。媒體間的競爭更為激烈，但我個人希望所有媒體一起組成「**All Japan**」，共同擔任主辦單位，作為最適切的解決方案，不知道是否可行？

另一方面，日本在今（二〇一二）年一至二月間於東京國立博物館舉辦北京故宮的展覽。過去日本也曾辦過幾次北京故宮的展覽，例如一九八五年時，在東京的西武美術館舉辦過「故宮博物院展——紫禁城的宮廷藝術」。

但是這次的「北京故宮博物院二〇〇選」和過去的北京故宮展有些不同。主要是展示文物的水準特別高。這次從北京故宮挑選書畫、陶瓷器、青銅器、漆器、琺瑯、染織等兩百件文物，其中有一半是中國的「國家一級文物」。皇帝的收藏蓄積了中國悠久歷史，當然是相當讓人賞心悅目的展覽。尤其是中國書畫的黃金時期宋代（九六〇—一二七九）至元代（一二七一—一三六八）間的四十一件書畫來到日本展覽，依據日本東京國立博物館館方的說明，中國對於這兩個時代的作品到海外展覽，有著嚴格的限制，這次算是「大手筆」破例出展。

其背後是有原因的。由於中國政府的戰略，北京故宮在這幾年積極與世界各國的重要美術館結盟，透過「故宮」這塊國際品牌向國際社會強調中華文化。

北京故宮副院長陳麗華二〇一一年十一月到日本舉行記者會時，她是這麼說的：「這次的展覽是空前的，在中日文化交流史上具有重大意義……元及宋的文化對日本影響很大，透過展覽宣揚中國文化，促進中日兩國的文化交流，對於歷經大地震後的日本，也別具意義。」

陳副院長的這段談話，特別強調故宮的「對日文化外交」。

進一步說，中國方面也意識到，台北故宮將在二〇一四年赴日展覽之事幾乎已成定局。未來台北故宮赴日展覽難免會被拿來和這次的北京故宮展覽一較高下，因此這次北京方面卯足全力將珍品送展，以免日後輸給台北故宮。

另一方面，故宮在台灣仍是熱門話題，二〇〇八年啟動的兩岸交流，從二〇〇九年舉辦的「雍正大展」起，二〇一一年將分隔兩岸的「富春山居圖」合璧展覽。此外，同一年，兩岸故宮相關人員循著故宮文物在中國顛沛流離的歷史，實現了故宮文物之旅。在兩岸文化交流範疇中，兩岸故宮的交流可說是最為順利的一項。

此外，民進黨政權留給馬英九國民黨政權的「負面遺產」——故宮南院問題——至今仍呈現不明狀態。本來應該在二〇〇八年完工的南院，馬英九總統在二〇〇八年就任時曾表明，「二〇一二年正式開幕」，但是因為「八八風災」等因素延宕工期，周功鑫在二〇一二年三月下旬公開表示，將以「亞洲藝術文化博物館」之名，正式於二〇一五年十二月開館。這比原訂計畫晚了七年之久。

二〇一五年開館能否實現，仍有不少懷疑的聲音。「亞洲藝術文化博物館」是否會冠上「故宮」的名稱，目前尚難判斷。依據目前故宮方面的規畫，將在南院設置四個主題公園。事實上，南院未來是以「觀光」還是「文化」為重點，還有很多不清楚的地方。二〇一五年完工的時點，正好是馬英九總統第二任任期當中。台北故宮和馬英九總統究竟會將多少台北故宮的貴重文物運往嘉義，或是如何定位台北故宮的「分院」，都是非常有意思的課題。

最後，此次出版台灣版，我想向協助採訪及調查的台灣各界人士表達最高的謝意。一個國語說得很不標準的外國人，提出了各式各樣的問題，如果沒有親切的台灣朋友耐心回答，本書是不可能完成的。尤其是台北故宮的歷任院長：杜正勝、林曼麗、周功鑫三位院長瞭解我想撰寫故宮問題的心情，願意多次接受我的專訪，提供莫大的協助。對於媒體的採訪，能有如此開闊心胸接待的國民，我想不出來還能在哪裡遇到。透過歷史，接受各種異國文化而形成台灣人的寬大與包容力，這是台灣最值得驕傲的無形資產。

本書提到多位政治人物及諸多的政治問題，但特別要指出的是，我個人寫文章對於台灣問題的切入點，完全沒有任何的政治立場，而是站在一個記者的第三者角度來觀察。甚至可以這麼說，如果要說我有立場，那就是「為了台灣好」。我的解讀和說明的方式，必然有人持不同的看法，當然這本書也會受到批評或批判。如果內容錯誤或有不正確之處，全都是因為我的能力有限。

本書是我擔任朝日新聞駐台北分局長任內，從二〇〇七至二〇一〇年間累積採訪所完成的，我想向當時在台北分局工作的助理陳素玲、林巧姿、陳冠敏、葉雅婷等夥伴致謝。一般的新聞採訪是不需要把採訪錄音全文做成逐字稿的，由於當時心想將來有可能出版故宮主題的書，因此拜託她們詳實記錄，增加了比平常更多的工作負擔。由於她們的辛勤努力，我才得以寫出故宮問題的著作。

同時在此要感謝聯經出版公司的林載爵先生、胡金倫先生、林亞萱小姐及他的所有工作團隊人員，秉持著最大的熱誠促成這本書在台出版，能由台灣最具文化底蘊的出版社出版本書，我著實感到無比的幸運。打從著手寫日文原版的階段，就已經許下心願，希望本書能在我最喜愛的台灣出版。

最後也想向擔任譯者的好友張惠君表達由衷的感謝。二十年前在德國偶遇認識的友誼，延續促成今日的合作成果，這是人生中令人難忘的一大驚喜。

本書主要人物

乾隆帝（一七一一－一七九九）
與康熙帝、雍正帝並列為清朝的「三位名君」。在位長達六十年，赴各地遠征擴大版圖，愛好文化及書法，積極蒐集文物，奠下目前故宮收藏的雛形基礎。

孫文（一八六六－一九二五）
中國的政治家、思想家。出生於廣東省。是位醫師，主導推翻清朝，組成中國同盟會，這是國民黨的前身。辛亥革命成功後，一九一二年就任中華民國臨時大總統。提倡三民主義作為中國革命的基本理念。台灣現在仍尊稱為「國父」，在中國也因為是革命先驅者而備受尊敬。台北故宮正門揭示的「天下為公」是孫文喜愛的格言，在台北故宮的大廳立有銅像。

宋美齡（一八九七－二〇〇三）
蔣介石之妻。出生於中國上海。浙江財團宋氏家族的女兒。與宋靄齡（大姐、孔祥熙之妻）、宋慶齡（二姐、孫文之妻），並稱為「宋氏三姐妹」。在美國受教育，能說流利的英文，受到美國財政界的歡迎，常代替蔣介石擔任對美交涉的工作。喜愛故宮文物，出任台北故宮的董事會，在故宮內也有個人辦公室。蔣介石逝世後移居美國。

蔣介石（一八八七－一九七五）

中國、台灣的政治家。出生於中國浙江省，年輕時在日本受陸軍軍事教育。孫文過世後，在國民黨內厚植實力，北伐成功鞏固了權力基礎，就任國民政府主席。中日戰爭取得勝利，但是接下來的國共內戰大敗。率領政府、黨及軍隊撤退到台灣時，決定將故宮文物一起運送。直到一九七五年逝世前，都擔任「中華民國總統」，居於獨裁者之地位。

蔣復璁（一八九八－一九九〇）

台北故宮第一任院長。出生於中國浙江省。國民政府時期擔任中央圖書館館長、故宮博物院（北京）館長，與國民黨一起到台灣。一九六五年台北故宮成立時就任院長，至一九八三年卸任。

杭立武（一九〇三－一九九一）

國民黨官員、政治家。出生於中國安徽省。一九四九年故宮文物搬遷台灣時擔任教育部次長，實際指揮參與。撤退到台灣後，曾擔任教育部長、駐菲律賓大使等重要職務。

愛新覺羅・溥儀（一九〇六－一九六七）

清朝末代皇帝。清朝時通稱宣統皇帝。清朝滅亡後成為滿洲國皇帝。日本敗戰後，成為蘇聯的俘虜，轉交給中國，成為共產黨統治下的政治犯，接受再教育。得到特赦後，過著一般平民生活。

那志良（一九〇八－一九九八）

故宮研究員。滿族人。從一九二五年故宮博物院成立時，就以故宮為畢生志業，歷經了文物疏散、搬運到台灣、在台灣設立台北故宮等，參與故宮重要變遷，可稱為故宮的活字典。著有《故宮四十年》等諸多故宮歷史相關書籍。

秦孝儀（一九二一－二〇〇七）

台北故宮第二任院長。出生於中國湖南省。歷任國民黨文化、言論部門之要職，也擔任蔣介石遺囑之起草人。與蔣家關係深厚。於一九八三至二〇〇〇年間擔任十七年故宮院長職務。

李登輝（一九二三—）

台灣第一位民選總統。戰爭時就讀於日本京都帝國大學，專攻農業經濟學。以農業專家受到蔣經國總統時代延攬重用，擔任副總統，一九八八年蔣經國逝世後就任代理總統，一九九〇年擔任總統。一九九六年直接選舉再任總統。推動區別中國和台灣的「台灣本土化」。

杜正勝（一九四四—）

民進黨政權下之第一任台北故宮院長。出生於台灣高雄。歷史學者。歷任中央研究院研究員，二〇〇〇年接任院長。二〇〇四年轉任教育部長。政權回到國民黨後，擔任台灣大學教授。

周功鑫（一九四七—）

現任台北故宮院長。大學畢業後進入故宮工作。曾任蔣復璁、秦孝儀兩位院長秘書、故宮展覽組組長、輔仁大學博物館學研究所所長。二〇〇八年五月國民黨取回政權後，擔任故宮院長，是繼林曼麗之後第二位女性院長。推動中國、台灣故宮交流。

鄭欣淼（一九四七—）

前北京故宮院長。出生於中國陝西省。曾任青海省副省長、國家文物局副局長，二〇〇二年擔任故宮院長。提倡創設「故宮學」，熟悉故宮歷史及收藏形態。

馬英九（一九五〇—）

現任台灣總統（國民黨）。出生於香港。畢業於台灣大學法律系，美國哈佛大學博士。回國後擔任蔣經國總統的英文秘書，一九九八年起擔任台北市長。二〇〇八年當選總統。推動兩岸關係融冰，打開中國和台灣故宮的首度交流。

陳水扁（一九五〇—）

前台灣總統（民進黨）。出生於台南縣。畢業於台灣大學法律系，擔任律師，支持民主化運動。歷任立法委員、台北市長，於二〇〇〇年當選總統。二〇〇四年連任。下台後因為洗錢、貪污等罪名被逮捕，目前服刑中。在任中推動故宮改革，目標是「故宮的台灣化」。

林曼麗（一九五四—）

前台北故宮院長。近代美術專家。日本東京大學博士。曾任台北市立美術館館長，二〇〇四年起擔任故宮副院長，二〇〇六年擔任第一位女性故宮院長。是民進黨陳水扁總統之文化政策顧問，推動故宮改革。

※除了已去世者，職稱以二〇一一年四月時間點為準。

※排列順序以出生時間為準，若出生時間相同，則以姓氏筆畫順序為準。

故宮以及中國、台灣、日本之主要大事

西元	大事紀
一九一一	十月發生辛亥革命。清朝末代皇帝溥儀宣布退位。臨時政府同意溥儀退位後，仍可住在紫禁城的宮殿中，承諾「日後搬遷至頤和園」。
一九一二	一月中華民國成立。孫文就任臨時大總統。其後讓位給袁世凱。二月溥儀退位。
一九一四	北京政府以清朝熱河避暑山莊及盛京（瀋陽）故宮文物為主，於紫禁城設立古物陳列所。
一九一五	日本向中國提出二十一條要求，引起中國人強烈憤慨。
一九一九	因排日運動，漸漸發展成五四運動。中國國民黨成立（中華革命黨改稱為中國國民黨，譯者加）。
一九二一	中國共產黨成立。
一九二四	政府決定讓溥儀搬離紫禁城。設立「清室善後委員會」，是故宮博物院的前身，開始整理紫禁城內的宮廷文物。
一九二五	孫文逝世。故宮博物院成立，十月起對外開放。
一九二八	國民政府蔣介石完成北伐，統一中國。國民政府接收故宮博物院，公布「故宮博物院組織法」。此間，日本為阻礙統一出兵山東，謀畫預埋炸彈炸傷奉天軍閥張作霖，當日死去。

一九三一	日軍炸毀滿洲（中國東北地方）柳條湖附近鐵路，以此為藉口展開軍事行動（九一八事變）。
一九三二	三月，日本安排溥儀執政（其後當皇帝），建立滿洲國。
一九三三	日本退出國際聯盟。華北情勢緊張，決定將故宮文物運送南方，經由南京運到上海，包括故宮博物院、古物陳列所、頤和園等宮廷文物一起運送。南送文物共計一萬九千五百五十七箱。
一九三五	從放在上海的文物擇優七百三十五件，以英國海軍薩福克號軍艦從上海運至英國，參加在倫敦舉辦之中國藝術國際展覽會。
一九三六	故宮博物院南京分院落成，從上海租界搬運文物至此。
一九三七	七月發生盧溝橋事變，八月發生淞滬會戰，中日戰爭漸次開打，南京文物中，以倫敦展為主的八十箱（第一批）文物送到長沙。年底將九千三百三十一箱（第二批）走水路送到漢口。日軍陸續占領上海、南京。
一九三八	第一批文物再往西運至貴陽。第二批文物也運至重慶，從南京出發的七千二百八十七箱（第三批）走陸路到陝西省寶雞。日軍開始轟炸重慶。
一九三九	第一批文物安置於貴陽郊外的安順洞窟。第二批則安置在四川省樂山郊外的安谷鄉。第三批安置於四川峨眉，第
一九四一	太平洋戰爭爆發。
一九四四	第一批文物從安順運至四川省巴縣。
一九四五	日本投降。國民政府接收北京的故宮博物院及南京的分院。

一九四六	爆發國共內戰。
一九四七	所有的文物經過重慶運回南京。
一九四八	國共內戰中，國民黨處於劣勢。十一月故宮博物院理事會決議將文物送到台灣。第一批於十二月抵達台灣基隆。
一九四九	第二批及第三批抵達台灣。國民政府的重要幹部、軍隊、政府機關撤退台灣。十月共產黨宣布成立中華人民共和國，承接延續北京故宮博物院。
一九五〇	台灣台中縣霧峰鄉北溝保管庫落成。
一九六一	台灣國民黨政權舉辦故宮文物美國展。
一九六五	台北故宮落成，位於台北郊外。
一九六六	中國文化大革命情勢緊繃，北京故宮也暫停對外開放。
一九七一	北京故宮再度對外開放。
一九七二	日本和中國建交，伴隨著日本和台灣斷交。
一九八七	北京故宮的紫禁城獲選為世界遺產。
一九九一	台北故宮文物精品四百五十二件參加美國展。
二〇〇〇	台灣首度政權輪替。陳水扁民進黨政權任命杜正勝為台北故宮院長。
二〇〇四	石守謙就任台北故宮院長。
二〇〇六	林曼麗就任台北故宮院長。第一位女性院長。

二〇〇八	國民黨馬英九總統當選，任命周功鑫為台北故宮院長。第二位女性院長。中國、台灣關係開始改善。
二〇〇九	二月，台北故宮周院長首次訪問北京，三月北京故宮院長鄭欣淼訪問台北，促進中國、台灣故宮交流常態化。

參考圖書、新聞報導一覽表

【日文書籍】

吉田莊人，《蔣介石秘話》，かもがわ出版，2001
莊嚴，《遺老が語る故宮博物院》，二玄社，1985
蔣介石秘録取材班，《蔣介石秘録 ── 日中関係八十年の証言》（上下），サンケイ新聞社，1985
司馬遼太郎，《台湾紀行　街道を行く40》，朝日文庫，2009
陳舜臣、阿辻哲次、鎌田茂雄、中野美代子、竹内実、NHK取材班，《故宮至宝が語る中華五千年》（1-4），日本放送出版協会，1996-97
愛新覺羅溥儀，《わが半生『滿州国』皇帝の自伝》（上下），ちくま文庫，1992
後藤多聞，《ふたつの故宮》（上下），日本放送出版協会，1999
R.F.ジョンストン，《完譯　紫禁城の黄昏》（上下），祥伝社黄金文庫，2008
ウォレン・I・コーエン，《アメリカが見た東アジア美術》，スカイドア，1999
古屋奎二，《これだけは知っておきたい故宮の秘宝》，二玄社，1998
伴野朗，《流転の故宮秘宝　消えた王羲之真蹟の謎》，尚文社ジャパン，1996
伴野朗，《消えた中国の秘宝　三つ目の故宮博物院》，講談社，1998
板倉聖哲、伊藤郁太郎，《台北　国立故宮博物院を極める》，新潮社，2009
児島襄，《日中戰爭》（1-3），文藝春秋，1984
国立故宮博物院編撰，《故宮七十星霜》，国立故宮博物院，1996
富田昇，《流転清朝秘宝》，日本放送出版協会，2002

【日文論文】

富田昇，〈山中商会展目録研究・日本篇〉，收於《陶説》，538号-543号，1998年
川島公之，〈中国観賞陶器の成立と変遷〉，收於《陶説》，528号-535号，1997年
松金公正，〈台北故宮における中華の内在化に関する一考察〉，收於《台湾における〈植民地〉経験）》，風響社，2011年
家永真幸，〈故宮博物院をめぐる戦後の両岸対立（1949-1966年）〉，收於《日本台湾学会報》，第9号，2007年，日本台湾学会
福田円，〈毛沢東の対「大陸反攻」軍事動員（1962年）〉，《日本台湾学会報》，第12号、2010年，日本台湾学会
石守謙，〈皇帝コレクションから国宝へ〉（東京文化財研究所編），收於《うごくモノ『美術品』の価値形成とは何か》，平凡社，2004年
中野美代子，〈愛国心オークション：「円明園」高値騷動〉，收於《図書》，2009年7月号

【日文雜誌、展覽會目錄】

〈大特集　台北故宮博物院の秘密〉，收於「芸術新潮」，2007年1月号，新潮社
「別冊太陽　台北故宮博物院」（2007年6月）平凡社
井尻千男「美のコンキスタドール」（「選択」2005年12月号）
藤井有隣館「有隣館精華」1975年
黑川古文化研究所「黑川古文化研究所名品展 —— 大阪商人黑川家三代の美術コレクションー」（展覧会図録、2000年9月）
西村康彥監修「甦る南遷文物 —— 中国南京博物院藏宝展」（展覧会図録、1998年9月）TBS

【中文書籍（正體字）】

《國立故宮博物院年報》，2008
杜正勝，《藝術殿堂內外》，三民書局，2004
杭立武，《中華文物播遷記》，台灣商務印書館，1978
那志良，《故宮四十年》，台灣商務印書館，1996
莊嚴，《山堂清話》國立故宮博物院，1980
王鎮華等，《論述與回憶：王大閎》，誠品書店出版，2008
徐明松編，《國父紀念館建館始末 —— 王大閎的妥協與磨難》，國立國父紀念館出版，2007
鄭欣淼，《天府永藏》，藝術家出版社，2009
馮明珠，《故宮勝概一新編》，國立故宮博物院，2009

【中文論文（正體字）】

蔣復璁，〈復興中華文化之要義〉，《故宮季刊》，1966年創刊號
蔣復璁，〈國立故宮博物院遷運文物來台的經過與設施〉，《故宮季刊》，1968年冬季號
沈哲煥，〈政府遷台文物之定位與歸屬〉2003
〈國立故宮博物院十年工作報告〉，《故宮季刊》1976年夏季號
何聯奎，〈故宮博物院之特質〉，《故宮季刊》1971年春季號
陳夏生，〈老裝老運好〉，《故宮文物月刊》2005年10月號
黃寶瑜，〈中山博物院之建築〉，《故宮季刊》1966年7月號
石守謙，〈八十週年感言〉，《故宮文物月刊》，2005年10月號
桂宏誠，〈中華民族的凝成：國家認同與文化一體〉，《國政研究報告》，2002年9月30日
張臨生，〈國立故宮博物院收藏源流史略〉，《故宮學術季刊》1996年春季號
〈國立中央博物院籌備處存台文物品名及件數清冊〉，1949年11月，國民黨黨史館館藏
蔣伯欣，〈「國寶」之旅：災難記憶、帝國想像，與故宮博物院〉，《中外文學》，2002年2月
〈戴萍英基金會珍藏〉佳士得，2008年12月

【中文報導（正體字）】

〈故宮國寶遷台延續中華文化香火〉，《亞洲週刊》，2009年3月1日
〈杜正勝訪秦孝儀論及故宮定位〉，《聯合報》，2000年4月27日
〈兩岸故宮院長新春正式互訪〉，《中國時報》，2008年12月31日
〈兩岸故宮歷史性合作　雍正打頭陣〉，《聯合報》2009年1月6日
〈周功鑫學界繞一圈〉，《自由時報》2008年5月1日
〈故宮南院建築師　提告索賠四千萬〉，《聯合報》2008年11月26日
〈離散百年三希帖　後年聚台北故宮〉，《聯合報》2009年10月14日
〈故宮院慶　文物分類走回老路〉，《自由時報》2008年10月9日
〈期盼故宮注入台灣新精神〉，《自由時報》2008年4月29日
〈故宮弊案向上燒〉，《聯合報》2007年5月24日
〈翠玉白菜遊南台　文化新體驗〉，《中國時報》2004年1月20日
〈龍應台、林曼麗　紛爭打住〉，《中國時報》2000年5月19日

【中文書籍（簡體字）】

那志良，《我與故宮五十年》，黃山書社，2008
《國寶工程2002-2007》，中華搶救流失海外文物專項基金，2008
溫淑萍，《話說瀋陽故宮》，遼寧大學出版社，2008
陳文平，《流失海外的國寶》，上海文化出版社，2001
杜金鵬主編，《國寶》，長江文藝出版社，2007
吳樹，《誰在收藏中國》，漫遊者文化事業股份有限公司，2009
故宮博物院編，《故宮博物院》，紫禁城出版社，2005
故宮博物院編，《故宮博物院八十年》，紫禁城出版社，2005
鄭欣淼，《紫禁內外》，紫禁城出版社，2008
李海明、惠君編，《國寶檔案》，人民文　出版社，2008
國家文物局，《中國文物事業改革開放三十年》，文物出版社，2008
楊劍，《中國國寶在海外》，中國友誼出版公司，2006

【英文書籍】

Murphy, J. David. *Plunder and Preservation: Cultural Property Law and Practice in the People's Republic of China*. New York: Oxford University Press, 1995.

聯經文庫
兩個故宮的離合：歷史翻弄下兩岸故宮的命運

2012年7月初版　　定價：新臺幣320元
2018年12月初版第六刷

著　者　野島剛
譯　者　張惠君
叢書編輯　林亞萱
校　對　呂佳真
內文排版　林淑慧
封面美編　許晉維

出版者　聯經出版事業股份有限公司
地址　新北市汐止區大同路一段369號1樓
編輯部地址　新北市汐止區大同路一段369號1樓
台北聯經書房　台北市新生南路三段94號
電話　(02)23620308
台中分公司　台中市北區崇德路一段198號
暨門市電話　(04)22312023
郵政劃撥帳戶第0100559-3號
郵撥電話　(02)23620308
印刷者　文聯彩色製版印刷有限公司
總經銷　聯合發行股份有限公司
發行所　新北市新店區寶橋路235巷6弄6號2F
電話　(02)29178022

總編輯　胡金倫
總經理　陳芝宇
社　長　羅國俊
發行人　林載爵

行政院新聞局出版事業登記證局版臺業字第0130號

本書如有缺頁，破損，倒裝請寄回台北聯經書房更換。　ISBN 978-957-08-4017-9 (平裝)
聯經網址 http://www.linkingbooks.com.tw
電子信箱 e-mail:linking@udngroup.com

第47頁由聯合資料庫，第166-167頁由徐明松，封面下圖由林載爵，
其餘照片皆由野島剛所提供。

國家圖書館出版品預行編目資料

兩個故宮的離合：歷史翻弄下兩岸故宮的命運/野島剛著．張惠君譯．初版．新北市．聯經．2012年7月（民101年）．280面．14.8×21公分（聯經文庫）
ISBN 978-957-08-4017-9（平裝）
[2018年12月初版第六刷]

1.國立故宮博物院 2.歷史 3.中國家 4.台灣

069.82 101011555